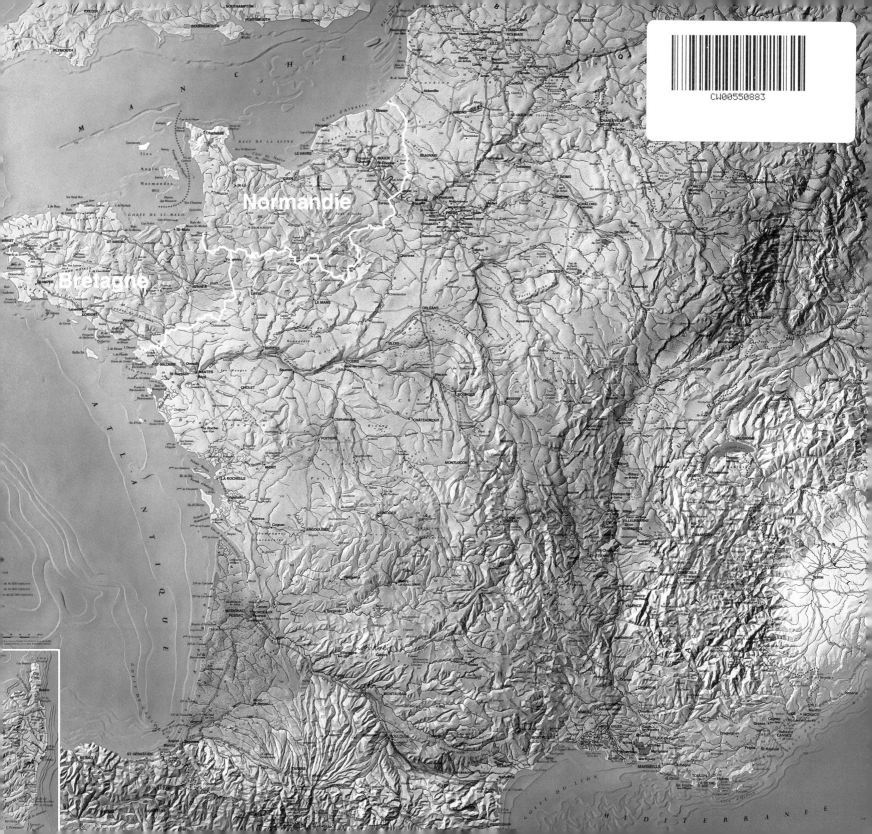

Voyage en Bretagne et en Normandie
Farbbild-Reise Bretagne / Normandie
Pictorial Journey through Brittany / Normandy

Pictorial Journey through
Brittany and
Normandy

EDITIONS ZIETHEN-PANORAMA

LA BRETAGNE

La Bretagne possède une physionomie si particulière que nous allons d'abord découvrir comment elle s'est formée. L'histoire commence il y a 600 millions d'années, quand les eaux recouvraient encore la France. L'écorce terrestre se souleva pour créer le plissement hercynien: un relief en forme de V, avec des montagnes de 4000 mètres de hauteur dont le Massif armoricain situé à un des bouts du V. L'érosion aplanit les sommets de granit; à la fonte des glaces, le niveau de la mer monta, l'eau envahit les vallées, formant les abers, ces estuaires profonds et découpés de la côte bretonne. Les crêtes de l'intérieur des terres devinrent les falaises abruptes qu'on retrouve au cap Fréhel ou à la pointe du Raz, et les anciennes collines se transformèrent en îles, Ouessant, Sein et Belle-Ile. L'extrémité occidentale de la France était créée...

Mais elle n'était pas encore peuplée, car tout cela se passait il y a deux millions d'années. C'est seulement vers 3000 ans avant notre ère que des hommes arrivèrent dans cette région rude. On ne sait pratiquement rien d'eux, sinon qu'ils dressaient des dolmens et des menhirs. Les témoins de cette culture mégalithique se retrouvent un peu partout dans la région, notamment à Carnac et Locmariaquer.

Au 5 siècle avant J.-C., des tribus celtes s'installèrent dans la péninsule. Ils appelèrent la région côtière Armor, pays voisin de la mer, et l'intérieur des terres Argoat, pays des forêts. Les ancêtres des Bretons actuels sont des Celtes chassés d'Angleterre par les Angles et les Saxons au 5e siècle après J.-C. Ces colons donnèrent le nom de Britannia minor à leur nouveau pays: la Bretagne était née...

Le peuple breton, qui parle encore sa langue, s'est toujours distingué des autres habitants de la France. Soumis par les Romains, puis par les Francs, il ne baissa jamais la tête et conquit son indépendance en 845 lorsque le roi Nominoé fonda le royaume de Bretagne. Devenu terre d'enjeu entre Français et Anglais à la mort du dernier roi breton, il passa sous la domination des ducs de Montfort et ne fut définitivement

DIE BRETAGNE

Die Geschichte dieser einzigartigen Landschaft begann vor 600 Millionen Jahren, als Frankreich noch von Wasser bedeckt war. Damals faltete sich die Erdkruste auf, und es kam zur Bildung des sogenannten variskischen Gebirges, einer V-förmigen Erhebung mit bis zu 4000 Meter hohen Gipfeln. Das armorikanische Massiv, die heutige Bretagne, bildete eine Spitze dieses „Dreiecks". Zunächst schliff die Erosion die Granitgipfel ab. Als dann die Gletscher der Eiszeit schmolzen, stieg der Meeresspiegel an, und die schroffen Felseinschnitte füllten sich mit Wasser. So entstanden die „Abers", die typischen zerklüfteten „Fjorde" der bretonischen Küste. Die Bergkämme des ehemaligen Landesinneren dagegen wurden zu steilen Meeresklippen, wie wir sie am Cap Fréhel oder der Pointe du Raz finden. Die Hügel des Bergvorlandes ragten bald nur noch als Inseln aus dem Wasser: Ouessant, Sein und Belle-Ile.

All dies geschah vor zwei Millionen Jahren, doch erst um das Jahr 3000 vor unserer Zeit kam der Mensch in diese rauhe Gegend. Von den ersten Bewohnern der Bretagne weiß man fast nichts, außer daß sie uns Hünengräber und Menhire hinterließen. Die Zeugen dieser megalithischen Kultur finden sich heute überall in der Region, vor allem in Carnac und Locmariaquer. Im 5. Jahrhundert v. Chr. ließen sich keltische Stämme auf der Halbinsel nieder. Die Küstenlandschaft nannten sie Armor („Land am Meer") und das Landesinnere Argoat („Waldland"). Die Vorfahren der heutigen Bretonen waren Kelten, die im 5. Jahrhundert n. Chr. von den Angeln und Sachsen aus England vertrieben wurden. Die Kolonisten gaben ihrem Land den Namen „Britannia Minor", und die „Bretagne" war geboren.

Die Bretonen sprechen ihre eigene Sprache und waren immer anders als die anderen Franzosen. Ihr Volk wurde von den Römern und später von den Franken unterworfen, beugte sich aber nie seinen Eroberern und errang 845 als eigenständiges Königreich seine Unabhängigkeit. Nach dem Tod des letzten bretonischen Königs war die Bretagne lange Zeit ein Zankapfel zwischen Frankreich und England und gelangte schließlich

BRITTANY

The history of this unique landscape began 600 million years ago, when France was still a subterranean land mass. At that time, the earth crust opened up an the so-called Variscian Mountains were formed, a V-shaped elevation, whose pinnacles reached a height of 4000 m. Present-day Brittany, the Armorican Massif, is one of the tips of this "triangle". First of all, erosion wore down the granite peaks. Following this, when the glaciers of the Ice Age melted, the water level rose and the precipitous breaks in the rock walls filled with water. In this way, the "Abers", the typically rugged fjords along the coast of Brittany, were formed. On the other hand, the mountain ridges of the former interior countryside became the steep cliffs, plummeting into the sea, such as those around Cap Fréhel or Pointe du Raz. Very soon, the foothills preceding the mountains could only be seen as islands, jutting out of the coastal waters: Ouessant, Sein and Belle-Ile.

All of this happened two million years ago, but human beings did not tread this rough land until 3000 years BC. We hardly know anything about the living habits of the first inhabitants of Brittany, other than that they left behind megalithic graves and menhirs. The testimonies to this megalithic culture can be found all over this region, especially in Carnac and Locmariaquer. In the 5th century BC, Celtic tribes settled on the peninsula. They called this coastal countryside "Armor" (The Land beside the Sea) and the interior countryside "Argoat" (Forest Lands). The predecessors of the present inhabitants of Brittany were Celts, that had been banished from England, in the 5th century AD, by the Anglo Saxons. These pioneers gave their new home the name "Britannia minor" and Brittany was born.

The inhabitants of Brittany speak their own language and have always considered themselves as being different to the other French peoples. These tribes were first conquered by the Romans and later by the Franconians. They never did, however, give up their struggle against the oppressors and finally, in 845, were granted independence as a monarchy. Subse-

rattaché à la France qu'en 1532, après le mariage de la fille d'Anne de Bretagne avec François Ier.

La Bretagne évoque d'abord des paysages de hautes falaises, de pointes déchiquetées, assaillies par l'océan et les vents. Mais les images de mer démontée, de tempêtes rageuses balayant les landes, ne sont vraies qu'en automne ou en hiver. En été, les températures sont agréables, la brise marine vivifiante et s'il tombe un petit crachin, il n'y a rien de plus sain que d'aller respirer l'air tonique sur les grèves. Par ailleurs, le littoral de quelque 1200 kilomètres offre une multitude de paysages contrastés où l'on peut passer des vacances fort différentes. Par exemple, la Côte d'Armor ou la Cornouaille attirent les amateurs de sites sauvages qui préfèrent les rochers et les randonnées sur les falaises fouettées par les vents plutôt que se délasser sur les belles plages de sable de la Côte d'Emeraude ou dans les flots paisibles du Golfe du Morbihan. L'atmosphère des petits ports de pêches avec leurs maisons grises et leurs ruelles tortueuses ne ressemble en rien à celle des élégantes stations balnéaires et centres de thalassothérapie réputés comme Dinard, Roscoff ou la Baule. Tous ces lieux ont pourtant le même point commun: ils vivent au rythme de la mer, au gré de ses humeurs et de ses marées. « Les Bretons naissent avec de l'eau de mer autour du cœur », dit-on. C'est un fait que le pays a été le berceau de grands marins et corsaires tels que Jacques Cartier et Surcouf et, comme autrefois, les chalutiers partent encore vers Terre Neuve. L'existence âpre et souvent menacée des pêcheurs a façonné l'âme bretonne. Elle est croyante et l'exprime dans les pardons, la vénération d'une bonne centaine de saints, les enclos paroissiaux, les fontaines sacrées et les croix des chemins.

Mais la Bretagne, c'est aussi l'Argoat, terroir également pittoresque, même s'il est moins spectaculaire que l'Armor. Landes de bruyères violettes, vergers de pommiers, champs de céréales et prés verdoyants ont remplacé les immenses forêts d'antan. Des villes médiévales occupent des vallées riantes. Dominés par d'imposants clochers, de petits villages se nichent au

unter die Herrschaft der Herzöge von Montfort. Erst 1532 jedoch wurde sie durch die Heirat der Tochter von Anne de Bretagne mit Franz I. definitiv zum Bestandteil Frankreichs.

Wenn man heute von der Bretagne spricht, denkt man zuallererst an steile Klippen und zerklüftete Felsvorsprünge unter dem Ansturm von Wind und Wellen. Aber dieses rauhe Bild trifft nur auf Herbst und Winter zu. Im Sommer herrschen angenehme Temperaturen, die frische Brise wirkt belebend, und wenn ein kleiner Nieselregen fällt, gibt es nichts besseres, als bei einem Spaziergang am Strand die gesunde Seeluft zu genießen. Die abwechslungsreiche Landschaftsvielfalt der 1200 km langen Küste hat für jeden Geschmack etwas zu bieten. Die Côte d'Armor und die Cornouaille zum Beispiel ziehen eher die Freunde urwüchsiger Natur an, die sich lieber auf Spaziergängen über rauhe Felsen und Klippen den Wind um die Nase wehen lassen, als sich an den schönen Sandstränden der Côte d'Emeraude oder in den sanften Wellen des Golfe du Morbihan zu entspannen. Die Atmosphäre der kleinen Hafenstädtchen mit ihren grauen Häusern und gewundenen Gassen bietet einen starken Kontrast zu den eleganten Seebädern und berühmten Zentren für Thalassotherapie wie Dinard, Roscoff oder La Baule. Und doch haben alle diese Orte etwas gemeinsam: ihr Leben folgt dem Rhythmus des Meers, seinen Stimmungen und seinen Gezeiten. „Die Bretonen werden mit Meerwasser rund um ihr Herz geboren", heißt es im Sprichwort. Dieses Land hat große Seeleute und Korsaren hervorgebracht wie Jacques Cartier und Robert Surcouf, und noch immer stechen von hier die Trawler nach Neufundland in See. Das rauhe und oft gefährliche Leben der Fischer hat die bretonische Seele geprägt. Die zahlreichen Kirchenfeste, die Verehrung gut hundert Heiliger, die Kalvarienberge, die geweihten Brunnen und die Kreuze am Wegesrand sind Zeugnisse eines tiefen Glaubens.

Aber die Bretagne ist mehr als eine Küste. Das Landesinnere ist vielleicht weniger spektakulär aber mindestens ebenso malerisch. Heideland-

quent to the death of the last King of Brittany, this region was, for a long time, a cause of strife between France and England, before finally being given to the Dukes of Montfort. It was not, however, until Anne de Bretagne married François I in 1532, that Brittany finally and definitively became part of France.

If one now speaks of Brittany, it primarily conjures up images of steep cliffs and rugged ledges, jutting out into the sea and beaten by the waves and the weather. This rough image is, however, only true of Autumn and Winter. In Summer, pleasant temperatures are registered here, the fresh wind is invigorating and, should it drizzle lightly, nothing is more enjoyable than a stroll along the beach to enjoy the fresh sea air. This varied and changing countryside along the 1200 km stretch of coastline offers something to suit everybody's' tastes. The Côte d'Armor and the Cornouaille tend to attract friends of unspoilt nature, who prefer to allow the wind to whistle in their ears during long hikes through rugged terrain and past steep cliffs, to relaxing in the gentle waves of the Golfe du Morbihan or sunbathing on the beautiful sandy beaches of the Côte d'Emeraude. The atmosphere of the small harbour villages, with their grey houses and winding alleyways is in direct contrast to the elegant seaside resorts and the famous centres of Thalassic Therapy, such as Dinard, Roscoff or La Baule. None the less, all of these places have something in common: their lives are dominated by the sea, by her moods and her tides. As the saying goes: "Children of Brittany are born with sea water around their hearts." This country has brought forth famous Seamen and Corsairs, such as Jacques Cartier and Robert Surcouf. Even today, trawlers set off from here for Newfoundland. The rough and often dangerous life of fishermen has formed the souls of the inhabitants of Brittany. The numerous Church Celebrations, the worship of well over a hundred Saints, the Calvary Altars, the sacred fountains and the countless crosses, lining the roadside all testify to deep religious beliefs.

Notre voyage à travers la Bretagne et la Normandie commence à Nantes, la septième ville de France, située au confluent de la Loire et de l'Erdre. La première ville des Pays de la Loire est un port très actif et un grand centre industriel. Mais elle est aussi la capitale historique des ducs de Bretagne, ce dont témoigne le château des ducs de Bretagne de style gothique et Renaissance, construit par le duc François II au 15e siècle.

bord de ruisseaux et d'étangs. Au détour d'un chemin isolé, surgit soudain une chapelle ou un charmant manoir encadré de verdure. Dans le Léon, les champs de primeurs, d'artichauts, de fraises et de melons offrent leur symphonie de couleurs. Au cœur du pays, s'étend la forêt de Paimpont, domaine de Merlin l'Enchanteur et de la fée Viviane. Sombre et secrète, elle rappelle que la Bretagne est la terre des légendes, du roi Arthur et des chevaliers de la Table Ronde, des fées et lutins hantant les landes, de Tristan et Iseult et de la mystérieuse ville d'Ys, engloutie dans les flots. Et que dire de tous ces dolmens et menhirs qui parsèment la région sans avoir jamais vraiment révélé leurs secrets?
Mais retournons à la réalité et à ce que la Bretagne a encore de particulier à offrir à ses visiteurs. D'abord la pêche en mer pratiquée à bord de son propre bateau ou en embarquant pour une journée avec un « loup de mer », puis ses nombreux ports de plaisance bien équipés pour accueillir les voiliers et bateaux à moteur et finalement sa navigation fluviale au long d'un réseau dense de rivières et canaux à l'intérieur des terres qui font découvrir des châteaux et sites historiques comme Josselin ou Carhaix-Plouguer. Aucun séjour en Bretagne ne serait complet sans aborder le chapitre de la gastronomie. La cuisine bretonne est délicieuse et extraordinairement variée, un mélange des produits du terroir et de la mer. Parmi les spécialités à goûter, citons les langoustes, les coquilles St-Jacques, le homard, les huîtres de Belon, les lièvres parfumés de Landes, les canards nantais et les crêpes et galettes, grandes spécialités du pays. Partons maintenant explorer les paysages bretons, accompagnés d'un air de biniou ou d'une ballade d'Alan Stivell...

Unsere Reise durch die Bretagne und die Normandie beginnt in Nantes, der siebtgrößten Stadt Frankreichs am Zusammenfluß von Loire und Erdre. Nantes ist eine wichtige Hafenstadt und ein bedeutendes Industriezentrum. An die Vergangenheit der ehemaligen Hauptstadt der bretonischen Herzöge erinnert das unter Herzog Franz II. im 15. Jhdt. erbaute Schloß im Stil der Gothik und Renaissance.

schaften, Apfelbaumpflanzungen, Getreidefelder und grüne Weiden sind an die Stelle der einst dichten Wälder getreten. In anmutigen Tälern findet man mittelalterliche Städte. Kleine Dörfer mit imposanten Kirchtürmen liegen am Ufer von Bächen und Teichen. Hinter einer einsamen Wegbiegung stößt man plötzlich auf eine Kapelle oder ein grün umranktes Herrenhaus. Im Léon entfalten die Felder mit Frühgemüse, Artischocken, Erdbeeren und Melonen eine wahre Farbsymphonie. Der düstere und geheimnisvolle Wald von Paimpont erinnert daran, daß die Bretagne auch ein Land alter Legenden ist: vom Zauberer Merlin und der Fee Viviane, von König Artus und den Rittern der Tafelrunde, von Tristan und Isolde und von der geheimnisvollen Stadt Ys, die von den Fluten verschlungen wurde. Ganz zu schweigen von den Menhiren und Hünengräbern, die bis heute ihr Geheimnis nicht preisgegeben haben.
Ihren heutigen Besuchern bietet die Bretagne viele Möglichkeiten: im eigenen Boot oder mit einem der „Seewölfe" kann man zum Fischen auf das Meer hinausfahren, die Yachthäfen sind bestens ausgestattet, die Kanäle und Flußläufe im Landesinneren bilden ein dichtes Netz von Wasserstraßen, die zu Schlössern und historischen Sehenswürdigkeiten führen. Aber was wäre ein Aufenthalt in der Bretagne ohne die vorzügliche und abwechslungsreiche Küche dieses Landes. Von Langusten und Jakobsmuscheln über mancherlei Wild und Geflügel bis zu den berühmten Crêpes und Galettes steuern Land und Meer das ihre zum Festmahl bei. Machen wir uns nun also auf Entdeckungsreise durch die Landschaften der Bretagne, vielleicht mit einer Dudelsackmelodie oder einem Chanson von Alan Stivell im Ohr...

Our trip through Brittany and Normandy starts in Nantes, the seventh largest city in France, situated at the point where the Loire and the Erdre run together. Nantes is an important port city and a significant centre of industry. The Gothic and Renaissance style castle, built under Duke Franc II in the 15th century, pays tribute to the town's history as capital city of Brittany.

Brittany is, however, more than just a coastline. The interior countryside is perhaps less spectacular, but it is, none the less, at least just as picturesque. Moor landscapes, apple groves, corn fields and green pastures have taken the place of the former thick forest region. Towns, dating back to the Middle Ages, are strewn across graceful valleys. Quaint villages, dominated by imposing Church steeples, lie on the banks of streams and ponds. We come across Chapels and Manor Houses, hidden behind green hedges, suddenly appear round a bend in the road. The fields of early vegetables, artichokes, strawberries and melons in Leon are awash with a veritable flood of colours. The dark and mysterious forests of Paimpont remind us that Brittany is also a land of legends: Merlin the Magician, the fairy Vivian, King Arthur and the Knights of the Round Table, Tristan and Isolde and the mysterious city Ys, sucked down into the depths by the floods, not to mention the megalithic graves and the menhirs, which have still not divulged their secrets to the present day.
Modern Brittany offers visitors a whole variety of possibilities: we can go fishing in the sea with our own boats, or one of the "sea wolves", the yacht harbours are extremely well-equipped, the canals and rivers in the interior countryside make up a tight network of waterways, leading to castles or historically important sights. A visit to Brittany, however, would be worthless without tasting the varied and delicious regional cooking. The seas add crayfish, Jacob's mussels, lobster, oysters, hare, with the sweet aroma of moor countryside, duck from Nantes, Crêpes and Galettes. Let us therefore now start our voyage of discovery through Brittany, perhaps with the swirling sounds of bagpipes or a chanson by Alan Stivell ringing gently in our ears.

Joyau du Morbihan, le château Josselin à la splendide façade sculptée en granit, se reflète dans les eaux de la rivière Oust. Le fief de la grande famille des Rohan est bien digne de leur fière devise: « Roi ne puis, prince ne daigne, Rohan suis ». - Le pont de St-Nazaire franchit la Loire à 61 mètres au dessus du fleuve qui vient se jeter ici dans l'Atlantique. St-Nazaire, le premier chantier naval de France, a été entièrement reconstruit après la seconde guerre mondiale.

Das Château Josselin, ein wahres Kleinod der Region Morbihan, ist ein altes Lehen des stolzen Adelsgeschlechtes der Rohan („Bin weder König noch Fürst, Rohan zu sein gereicht zur Zier"). Seine prachtvoll verzierte Granitfassade spiegelt sich im Wasser des Oust. - Die Brücke von Saint-Nazaire überspannt die Loire, die hier in den Atlantik mündet, mit einer Höhe von 61 Metern. St-Nazaire, das Zentrum der französischen Werftindustrie, wurde nach der Zerstörung im zweiten Weltkrieg vollständig neu wiederaufgebaut.

Château Josselin, a veritable jewel of the Morbihan region, is a historical fief of the proud aristocratic family Rohan ("I am neither King nor Duke, to be a Rohan suffices as ornament"). The magnificently decorated granite facade is mirrored in the waters of the Oust. The Saint-Nazaire Bridge traverses the Loire, which flows into the Atlantic at this spot, at a height of 61 m. Saint-Nazaire, the centre of French dockland industry, was completely rebuilt, after having been destroyed during the Second World War.

Au nord de Saint-Nazaire, la région de la Grande Brière occupe 7000 hectares des 40 000 hectares du parc naturel régional de Brière créé en 1970. 18 communes parsèment ce paysage de marais, de tourbes et d'étangs dont les couleurs changent avec les saisons. Sa flore et sa faune aquatiques sont à découvrir à bord d'un chaland, au long des canaux et des chenaux. A voir également: Kerhinet, un village typique briéron qui a été restauré.

Nördlich von Saint-Nazaire liegt die 7000 ha große „Grande Brière". 18 Gemeinden teilen sich diese von Kanälen durchzogene Landschaft aus Sümpfen, Mooren und Teichen, die zu dem insgesamt 40 000 ha großen regionalen Naturpark der Brière gehört. Ihre einzigartige Flora und Fauna entdeckt man am besten vom Kahn aus. Sehenswert ist ebenfalls das für die Region typische Dorf Kerhinet, das restauriert wurde.

The 7000 hectare large "Grande Brière" is situated to the North of Saint-Nazaire. Eighteen municipalities share this swamp, moor and pond landscape, through which numerous canals flow. It is part of the regional Nature Reserve Brière, which covers a total expanse of 40,000 hectares. A punt is particularly suitable for discovering the unique flora and fauna, indigenous to this area. The restored village of Kerhinet, so typical for this region, is also worth visiting.

La Bretagne est un paradis pour les amateurs de sports nautiques. Les nombreuses baies abritées de la côte découpée sont très favorables à la pratique de la voile et de la planche à voile. On peut louer des planches ainsi que des bateaux, avec ou sans équipage, sur presque toutes les plages. Durant la saison, des régates sont régulièrement organisées dans les grandes stations balnéaires. Celles de la Baule sont très populaires.

Die Bretagne ist ein Paradies für die Liebhaber des Wassersports. Zahlreiche geschützte Buchten der zerklüfteten Küste bieten sich zum Segeln und Surfen an. Man kann Surfbretter ebenso wie Boote, mit und ohne Besatzung, an fast allen Stränden ausleihen. Während der Saison werden in allen großen Seebädern Segelwettfahrten veranstaltet. Die Regatta von La Baule ist eine der beliebtesten.

Brittany is a paradise for water sport enthusiasts. Numerous protected bays along the rugged coastline are perfect for sailing and surfing. It is possible to hire surfboards and boats, with or without a crew, on almost any beach. During the season, yacht races are held in all the main seaside resorts. The La Baule regatta is one of the most popular.

Créée en 1878, la Baule est une des stations balnéaires et climatiques les plus réputées du littoral atlantique. Elle s'étend dans une vaste baie, au cœur de la côte d'Amour qui profite toute l'année de la douceur du Gulf stream. Huit kilomètres de plage de sable fin, une élégante promenade sur son front de mer, son port de plaisance, ses deux centres de talassothérapie et son casino font de la ville un endroit de villégiature très en vogue.

Das 1879 gegründete La Baule ist einer der berühmtesten Bade- und Luftkurorte der Atlantikküste. Der Ort liegt in einer langgestreckten Bucht an der Côte d'Amour, deren mildes Klima das ganze Jahr über vom warmen Golfstrom profitiert. Ein acht Kilometer langer feiner Sandstrand, die elegante Uferpromenade, der Yachthafen, zwei Kurzentren für Thalassotherapie und ein Kasino ließen La Baule zu einem sehr beliebten Urlaubsziel werden.

La Baule, founded in 1879, is one of the most famous bathing and fresh air spa resorts along the Atlantic coast. The town is situated on a wide stretch of bay coastline along the Côte d'Amour, whose mild climate profits all the year round from the warm Gulf stream. An eight kilometre long fine sandy beach, the elegant coastal promenade, the yacht harbour, two spa centres for Thalassic therapy and a casino make La Baule an extremely popular target for holiday makers.

Pour déguster les huîtres, les coquillages et les poissons tout frais, il faut aller à la rencontre des pêcheurs quand ils rentrent au port animé du Croisic. Une curiosité de la station balnéaire avenante est l'Aquarium de la Côte d'Armor.- Entourée de remparts du 15e siècle, Guérande a gardé son aspect médiéval. La Porte St-Michel abrite un musée régional intéressant. La ville domine la région des marais salants de la presqu'île de Guérande.

Wer fangfrische Schalentiere, Fische und Austern kosten will, der sollte zur Stelle sein, wenn die Fischerboote in den sehr belebten Hafen von Croisic einlaufen. Eine Sehenswürdigkeit des benachbarten Seebades ist das Aquarium der Côte d'Armor.- Guérande hat sich mit seiner Mauer aus dem 15. Jhdt. einen mittelalterlichen Anstrich bewahrt. In der Porte St-Michel ist ein interessantes Regionalmuseum untergebracht. Die Stadt erhebt sich über die Salzgärten der Halbinsel gleichen Namens.

Whoever enjoys fresh shellfish, fish and oysters, should be on the spot, when the fishing boats glide gently back into the hustle and bustle of Croisic harbour. A sight well worth seeing in the near-by bathing resort is the Côte d'Amour aquarium. - The town walls, dating back to the 15th century, have enabled Guérande to retain some of the atmosphere of the Middle Ages. Porte Saint-Michel houses an interesting regional museum. The town towers over the slat gardens, located on the peninsula, which bears the same name.

Le village de La Roche-Bernard qui domine la Vilaine est notre première étape dans le Morbihan. Il abrite un dédale de ruelles tortueuses bordées de demeures pittoresques. L'ancien port de commerce florissant s'est reconverti en port de plaisance pouvant accueillir 300 bateaux. Sur la route de la Baule, un belvédère rocheux offre une belle vue sur les versants verdoyants de la vallée de la Vilaine avec en premier plan, le port entouré de rochers impressionnants.

Unsere erste Etappe im Morbihan ist das oberhalb des Flusses Vilaine gelegene Dorf La Roche-Bernard mit seinem Labyrinth gewundener Gäßchen, die von malerischen Wohnhäusern gesäumt werden. Der ehemals blühende Handelshafen dient heute als Yachthafen mit 300 Liegeplätzen. Auf der Straße nach La Baule hat man von einem felsigen Aussichtspunkt aus einen schönen Blick auf die grünen Hänge des Vilainetals. Im Vordergrund der von beeindruckenden Felsen umgebene Hafen.

The village La Roche Bernard, home to a veritable labyrinth of winding alleyways, lined by picturesque houses and located above the River Vilaine, is the first stop on our trip through Morbihan. This latter day flourishing port town now serves as a yacht harbour with room for 300 boats to moor. A vantage point, hewn into the rocks along the road to La Baule, commands a magnificent view over the green slopes of the Vilaine valley. In the foreground, we see the harbour, surrounded by mighty rock walls.

L'immense quadrillage des marais salants s'étend sur 1800 ha irrigués par la mer au rythme des marées. Durant la période de saunaison qui dure de juin à septembre, les paludiers récoltent deux sortes de sel: le sel menu de surface et le gros sel déposé au fond. Les bassins de 70 m², appelés œillets, donnent jusqu'à 75 kilos de sel par jour. 8000 œillets sont exploités ; leur production annuelle est d'environ 10 000 tonnes de sel riche en chlorure de sodium.

Das riesige Schachbrettmuster der Salzgärten erstreckt sich über 1800 ha Land, das im Rhythmus der Gezeiten vom Meer bewässert wird. Das Salz wird von Juni bis September gewonnen, und in dieser Zeit sieht man die Arbeiter das Speisesalz von der Oberfläche abschöpfen. Die groben Körner dagegen lagern sich am Boden der „Oeillets" genannten Becken ab. Aus jedem der etwa 8000 Becken lassen sich 75 kg Salz pro Tag gewinnen. Das ergibt eine Jahresproduktion von etwa 10.000 Tonnen Salz.

The vast checked pattern of the salt gardens stretches over 1800 hectares of countryside, swamped by the rhythm of the ocean tides. Salt is gained between June until September, during which time, one can observe the labourers, shovelling the table salt from the surface. The larger salt crystals sink to the base of the pools, the so-called "Oeillets". Approximately 75 kg of salt can be gleaned daily from each of the 8000 pools. That constitutes an annual production of roughly 10,000 tonnes of salt.

Belle-Ile-en-Mer est la plus étendue des îles bretonnes avec une superficie de 84 km². Les touristes y découvriront des criques, des plages, des paysages de landes, une grotte magnifique et une citadelle de Vauban. La Pointe des Poulains surmontée d'un phare, est entièrement isolée par la mer aux grandes marées. A proximité, le fort Sarah Bernard a pris le nom de la célèbre tragédienne qui avait une résidence à cet endroit.

Belle-Ile-en-Mer, die mit 84 km² größte Insel der Bretagne, bietet dem Besucher kleine windgeschützte Strände, eine der schönsten Höhlen der Bretagne, eine Zitadelle des Festungsbaumeisters Vauban und ausgedehnte Heidelandschaften. Die mit einem Leuchtturm gekrönte Pointe des Poulains ist bei Springflut vollständig von der Insel getrennt. Das nahegelegene Fort Sarah Bernard verdankt seinen Namen der berühmten Schauspielerin, die dort eine Zeitlang wohnte.

Belle-Ile-en-Mer, whose 84 square metres make it the largest island on the coast of Brittany, delights visitors with tiny, wind-protected beaches, one of the most beautiful caves in Brittany, a citadel, erected by the stronghold architect Vauban and vast expanses of moor landscape. The Pointe des Poulains, crowned by a lighthouse, is completely separated from the island during the Spring tides. The near-by Fort Sarah Bernard bears the name of the famous actress, who resided there for a time.

Hérissée d'aiguilles, la mer qui ressemble à de l'ouate bouillonnante a donné son nom à l'endroit. Mais si Belle-Ile est un rocher fortifié, cerné de falaises, on y trouvera également de belles étendues de sable à Port-Kérel, aux plages de Bordardoué, des Grands Sables ainsi qu'à Port-Donnant où toutefois les rouleaux rendent la baignade risquée. La pointe de Kerdonis offre des vues splendides sur la rade du Palais, les îles et la Côte Sauvage au loin.

Mit seinen schäumenden Wellen sieht das felsgespickte Meer aus, als wäre es aus Watte. Daher der Name Port-Cotton („Baumwollhafen"). Belle-Ile ist aber nicht nur ein festungsbewehrter Felsblock mit steilen Klippen, sondern man findet dort auch schöne Sandstrände in Port-Kérel, Bordardoué und Port-Donnant. Dort ist allerdings das Bad im Meer wegen der walzenartigen Wellen gefährlich. Von der Pointe de Kerdonis aus hat man einen wunderbaren Blick auf die Palastreede, die Inseln und die Côte Sauvage im Hintergrund.

The white foaming waves of the sea, dotted with rocks, looks almost as if it were made of cotton wool. The Name Port-Cotton (Cotton harbour) derives its name from this peculiar fact. Belle-Ile is not simply a mighty rock stronghold with steep cliffs, rather beautiful sand beaches in Port Kérel, Bordardoue and Port-Donnant are also located there. It is however, due to the sledge-hammer waves, dangerous to swim there. The Pointe de Kerdonis commands a magnificent view over the roadstead, the islands, with a backdrop of the Côte Sauvage.

Carnac était déjà connue comme capitale préhistorique. Toutefois, personne ne connaît l'origine exacte des 2935 mégalithes qui constituent le célèbre site. Les alignements ont été dressés entre 5000 et 2000 avant Jésus Christ. Ils auraient été des lieux de culte ou peut être même des calendriers solaires. Les nombreux sites de menhirs, le mot breton signifiant « pierre longue » et de dolmens que l'on trouve dans la région, racontent une page secrète de l'histoire de la Bretagne.

Carnac war bereits in prähistorischer Zeit bekannt. Doch über den genauen Ursprung seiner 2935 Megalithen hat man bis heute keine gesicherten Kenntnisse. Die langen Reihen der Menhire wurden zwischen 5000 und 2000 v. Chr. aufgerichtet. Vielleicht war dies eine Kultstätte, vielleicht markieren die Steine sogar einen Sonnenkalender. Die zahlreichen Menhire (das bretonische Wort bedeutet „lange Steine") und Hünengräber zeugen noch heute von der geheimnisumwitterten Frühgeschichte der Bretagne.

Carnac was known as early as during the prehistoric period. None the less, we have no sure knowledge of the exact origins of the 2935 megaliths. The long rows of menhirs were constructed between 5000 and 2000 BC. Perhaps this was a cult meeting place, perhaps they were set up in the form of a sun calendar. The numerous menhirs (a Britannic word, meaning "long stones") and megalithic graves are once more a testimony to the mysterious nature of the early history of Brittany.

Certains de ces menhirs dépassent 7 mètres de hauteur. Les dolmens étaient sans doute des chambres funéraires, parfois précédés de galeries d'accès appelées tumulus. Ce peuple inconnu devait avoir un certain degré de civilisation pour manier des pierres de 350 tonnes. A visiter: le musée de Préhistoire et l'église du 17e s. dédiée à Saint Cornely, protecteur des bêtes à cornes. Carnac Plage est une station balnéaire très cotée.

Einige Menhire sind über 7 Meter hoch. Die „Dolmen" oder „Hünengräber" waren mit Sicherheit Grabkammern. Einige von ihnen verfügen über einen tunnelartigen Vorbau, einen sogenannten Tumulus. Ihre geheimnisvollen Erbauer müssen über einen bestimmten Grad an Kultur verfügt haben, um mit 350 Tonnen schweren Steinen umgehen zu können. Sehenswert sind das Museum für Vorgeschichte und die Sankt Kornelius, dem Schutzpatron der Horntiere, gewidmeten Kirche aus dem 17. Jahrhundert. Carnac Plage ist ein sehr beliebter Badeort.

Some menhirs are over 7 metres high. The dolmens, or megalithic graves were no doubt tombs. Some of them were constructed with a tunnel-like entrance, a so-called tumulus. Their mysterious architects must have reached a certain level of cultural development, in order to have been able to deal with 350 tonne boulders. Noteworthy sights include the Prehistoric Museum and the 17th century Church, dedicated to St. Cornelius, patron Saint of horned animals. Carnac beach is a much-loved bathing resort.

La presqu'île de Quiberon est une ancienne île que les alluvions ont rattachée au continent. Elle offre les paysages variés de son littoral: de vastes plages de sable et la Côte Sauvage, un chaos imposant de parois déchiquetées, de rochers bizarres, de récifs et de gouffres où la mer mugissante vient déferler. De Port Maria, le port animé de Quiberon, on s'embarque pour Belle-Ile, Houat et Hoëdic ou on regarde les bateaux sardiniers revenir du large.

Die Halbinsel von Quiberon ist eine ehemalige Insel, die durch Anschwemmungen mit dem Festland verbunden wurde. Ihre abwechslungsreiche Küstenlandschaft bietet ausgedehnte Sandstrände, zerklüftete Steilwände, bizarre Felsen, Riffe und Höhlen, in denen die Wellen sich tosend brechen. Von Port Maria aus, dem Hafen von Quiberon, schifft man sich nach Belle-Ile, Houat und Hoëdic ein, oder man schaut den Sardinenfängern zu, die von der hohen See zurückkehren.

The Quiberon Peninsula was once an island in its own right, now joined to the mainland by silt. This varied coastal landscape offers extensive stretches of sandy beaches, steep rugged cliffs, strangely shaped rocks, reefs and caves against which the mighty waves pound. One can travel by boat from Port Maria, Quiberon Harbour, out to Belle-Ile, Houat and Hoëdic, or watch the sardine fishermen at work, returning home from the high seas.

PORT-LOUIS, La citadelle

Richelieu fit une place forte de Port-Louis et y fonda la première Compagnie des Indes qui se solda par un échec. La citadelle, commencée par les Espagnols en 1591 et achevée par le ministre de Louis XIII, a hébergé des prisonniers illustres, dont le futur Napoléon III. La ville a deux ports: un de pêche et un de plaisance pouvant accueillir 200 bateaux. A la Promenade des Pâtis, sur les remparts, une porte donne accès à la plage de sable fin.

PORT-LOUIS, Zitadelle

Richelieu baute Port-Louis zur Festung aus und gründete dort die erste Ost-indische Kompanie, die ein Fehlschlag wurde. Der 1591 unter den Spaniern begonnene Bau der Zitadelle wurde unter Ludwig XIII. von Richelieu zu Ende geführt. Unter den berühmten Gefangenen der Festung war auch Napoleon III. Die Stadt hat einen Fischerei- und einen Yachthafen mit 200 Liegeplätzen. Von dem Spazierweg auf der Stadtmauer aus führt ein Tor zum Strand mit seinem feinen Sand.

PORT-LOUIS, Citadel

Richelieu had Port-Louis developed into a stronghold and founded there the first East Indian Company, which, however, proved to be a disaster. The construction work of the Citadel, which the Spaniards started in 1591, was completed during the reign of Louis XIII by Richelieu. The town has a fishing and yacht harbour, containing 200 mooring spots. A gate, following on from a promenade along the town walls, leads down to a fine sandy beach.

Une maison bretonne typique, bâtie en granit gris du pays et coiffée d'un toit en ardoise pouvant affronter tous les éléments. Les lignes nettes et sévères des façades des demeures sont adoucies par la végétation luxuriante des jardins qui les entourent. Le granit breton a la particularité de ne pas vieillir. Seules les différentes formes d'architecture indiquent l'âge des maisons et monuments.

Auf dem Bild sehen wir ein typisch bretonisches Haus, gebaut aus dem grauen Granit der Region und mit einem Schieferdach, das allen Wetterverhältnissen standhält. Die klaren und strengen Linien der Hausfassaden werden durch die üppige Vegetation der Gärten, die diese Häuser umgeben, aufgelockert. Der bretonische Granit hat den Vorteil, daß er nicht verfällt, so daß man nur anhand der verschiedenen Architekturformen das Alter der Häuser und Bauwerke feststellen kann.

The photograph depicts a typically Britannic House, built from the grey granite of the region and sporting a slate roof, capable of surviving all the forces of nature. The stern, austere lines of the exterior walls are softened by the lush vegetation of the gardens surrounding the house. Britannic granite has the advantage that it does not crumble, meaning that it is only possible to determine the age of a building according to the style of architecture.

Autrefois, la rivière Aven faisait tourner un grand nombre de moulins. «Pont-Aven, ville de renom - 14 moulins, 15 maisons ». Il n'existe plus qu'une minoterie aujourd'hui. Au Bois d'Amour dont les hauteurs dominent la rivière, on découvrira les lieux qui ont inspiré les peintres de l'école de Pont-Aven regroupés autour de Paul Gauguin et Emile Bernard. Durant le Pardon du premier dimanche d'août, les femmes défilent en costumes traditionnels.

Einst trieb der Fluß Aven hier zahlreiche Mühlräder an. „Pont-Aven, ville de renom - 14 moulins, 15 maisons", hieß es damals („auf 15 Häuser kommen 14 Mühlen"). Heute existiert nur noch ein Mühlenbetrieb. Im Bois d'Amour, dessen Hänge sich über den Fluß erheben, kann man die Orte finden, von denen sich die Maler der Schule von Pont-Aven um Paul Gauguin und Emile Bernard haben inspirieren lassen. Auf der Wallfahrt jeden ersten Sonntag im August sieht man die Frauen in ihren traditionellen Trachten.

The River Aven once drove countless millwheels. As the old saying goes, "Pont-Aven, ville de renom - 14 moulins, 15 maisons" ("14 mills for 15 houses"). Only one mill is still in existence today. In the Bois d'Amour, whose slopes rise up above the river, we find the towns that inspired the artists of the Pont-Aven school, lead by Paul Gauguin and Emile Bernard. During the annual pilgrimage on the first Sunday in August, we see the women, cloaked in their traditional dress.

Le tourisme n'occupe que la deuxième place à Concarneau, le troisième port de pêche en France. Les habitants descendent sur le port quand les gros chalutiers reviennent, les cales pleines de thon et d'autres poissons qui seront vendus à la criée située dans l'arrière-port. Après la plage, on ira se promener sur les remparts et dans les ruelles pittoresques de la Ville Close, et visiter le captivant Musée de la Pêche où est exposée, entre autres, une baleinière.

Concarneau ist der drittgrößte Fischereihafen Frankreichs. Wenn die großen Trawler von hoher See zurückkehren, die Laderäume voll mit Thunfisch und anderen Köstlichkeiten, dann eilen die Einwohner zum Hafen, wo der Fisch öffentlich versteigert wird. Nach einem Tag am Strand kann man schöne Spaziergänge auf den Mauern oder durch die malerischen Gassen der Ville Close unternehmen und das faszinierende Fischereimuseum besichtigen, in dem unter anderem ein Walfänger ausgestellt ist.

Concarneau is the third largest fishing port in France. When the mighty trawlers return from the high seas, their storerooms full to the brim with tuna fish and other delicacies, the inhabitants throng the harbour, where the catch is then auctioned. After a day on the beach, one can go for pleasant strolls along the town walls or through the picturesque alleyways of Ville Close, visit the fascinating fishing museum, where, amongst other things, a whale trawler is on display.

Située au fond d'un estuaire, Pont-l'Abbé doit son nom au premier pont construit par des abbés entre le port et l'étang. La capitale du pays bigouden est réputée pour sa broderie qui orne le costume original des femmes de la région. On peut admirer leur haute coiffe en dentelle lors de la fête des brodeuses et au pardon des Carmes qui se déroulent en juillet. Le Château abrite le musée bigouden qui évoque la vie dans ce terroir.

Pont-l'Abbé liegt in einer Trichtermündung und verdankt seinem Namen der ersten Brücke, die seinerzeit von Geistlichen („Abbés") zwischen dem Hafen und dem Teichgebiet erbaut wurde. Die Stadt ist berühmt für die Spitzenarbeiten, die die originellen Trachten der hiesigen Frauen schmücken. Die hohen Hauben aus geklöppelter Spitze kann man auf dem Fest der Stickerinnen oder der Karmeliterwallfahrt im Juli bewundern. In dem Schloß befindet sich das Regionalmuseum.

Pont-l'Abbé, named after the first bridge, constructed by monks ("Abbés") between the harbour and the marsh lands, is situated in a funnel-shaped estuary. The town is famous for its lacework, which decorates the original dress of the local women. One can marvel at the fine pillow lacework on the tall bonnets during the Darner's festival or the Carmelite Pilgrimage in July. The castle houses a Regional Museum.

L'ancienne capitale de la Cornouaille, aujourd'hui préfecture du Finistère est une ville pittoresque aux vieilles maisons de granit recouvertes de toits d'ardoise, célèbre pour ses dentelles, pour ses faïences et pour le festival de la Cornouaille (en juillet) et où l'on pourra admirer les différents costumes des femmes bretonnes. Les plus illustres des enfants de la ville sont Laënnec, inventeur du stéthoscope et le célèbre poète Max Jacob. A voir: la cathédrale Saint-Corentin.

Quimper, die alte Hauptstadt der Cornouaille, ist heute Sitz der Präfektur des Finistère. Die malerische Stadt mit ihren schiefergedeckten Granithäusern ist bekannt für ihre Spitzen, ihre Fayencen und das Festival de la Cornouaille (im Juli), auf dem man die bretonischen Frauen in traditionellen Kostümen bewundern kann. Zu den berühmtesten Söhnen der Stadt gehören Laënnec, der Erfinder des Stethoskops, und der Dichter Max Jacob. Sehenswert ist die Kathedrale Saint-Corentin.

Quimper, the ancient capital city of Cornouaille, now plays host to the Prefect of Finistère. This picturesque town with its slate-roof, granite houses is renowned for its lace, its faïences and the Festival de la Cornouaille in July, during which one can marvel at the Britannic women in their traditional dress. Laënnec, the inventor of the stethoscope and Max Jacob, the poet, are among the most famous sons of this town. Saint-Corentin's Cathedral is certainly well worth a visit.

A 35 km de Quimper, le port d'Audierne offre les plaisirs de sa grande plage de sable, mais surtout ceux de la dégustation des crustacés dans la pêche desquels il s'est spécialisé. On y visitera les Grands viviers constitués d'une trentaine de bassins remplis de homards, de langoustes, d'araignées de mer et de tourteaux. En face, la Chaumière expose un bel intérieur breton des 17e et 18e siècles. Depuis le port, des bateaux partent pour l'Ile de Sein et la pointe du Raz.

35 km von Quimper entfernt liegt der Hafen von Audierne. Neben den Freuden des Strandlebens bietet dieser Ort vor allem den Genuß der verschiedenen Schalentiere, auf deren Fang man sich hier spezialisiert hat. In etwa 30 Seewasserbecken warten unzählige Hummer, Langusten, Meerspinnen und Taschenkrebse auf den Kochtopf. In der „Chaumière" kann man eine schöne bretonische Einrichtung aus dem 17. und 18. Jhdt. besichtigen. Vom Hafen aus fahren die Schiffe zur Ile de Sein und zur Pointe du Raz.

Audierne Harbour is located 35 km from Quimper. In addition to the pleasures of sandy beaches this town also offers a delicious variety of seafood. This is also the speciality of the local fishermen. Countless lobsters, crayfish, sea spiders and edible crabs patiently wait in the pools along the beach for their cauldron debut. One can view magnificent Britannic furnishings, dating back to the 17th and 18th centuries in the "Chaumière". Boats travel out from the harbour to Ile de Sein and Pointe du Raz.

LA CORNOUAILLE, La côte

La Cornouaille a deux visages: des côtes déchiquetées, hérissées de pointes rocheuses entre lesquelles s'encastrent de petits villages de pêcheurs et dans l'arrière-pays, les horizons tranquilles de champs cultivés, parsemés de hameaux aux maisons blanches. Un littoral aux sites sauvages s'étend entre le cap Sizun et la presqu'île de Penmarch. Sur l'image: un paysage typique de récifs, d'écueils, de falaises et de mer houleuse près de Poulhan.

LA CORNOUAILLE, Die Küste

Die Cornouaille hat zwei Gesichter: zerklüftete Küsten, in deren Einschnitten sich kleine Fischerdörfer an die rauhen Felsen schmiegen und ein aus sanften Äckern und Feldern bestehendes Hinterland mit kleinen Weilern und weißgetünchten Häusern. Ein wildromantischer Küstenstreifen zieht sich vom Cap Sizun zur Halbinsel Penmarch. Das Foto zeigt eine typische Landschaft bei Poulhan aus Riffen, Felsen und Klippen, an denen sich schäumend die Wellen brechen.

LA CORNOUAILLE, The coast

The Cornouaille has two faces: tiny fishing villages, nestled against the rough cliffs in tiny bays along the rugged coastline and the hinterlands, consisting of lush pastures and cultivated fields, dotted with tiny hamlets and whitewashed houses. The coastal stretch between Cape Sizun and the Penmarch Peninsula is a savagely romantic countryside. This photograph shows a landscape, typical for Poulhan: reefs, towering rocks and cliffs, pounded by the tossing of the mighty waves.

Le calvaire de Notre-Dame-de-Tronoën (fin du 15e s.) est le plus ancien de ces monuments religieux, typiquement bretons dont la plupart furent érigés pour conjurer la peste ou pour remercier Dieu de la disparition du fléau. - Sculptée par l'Océan, assaillie par les vents, la Pointe du Raz offre un paysage grandiose, sauvage, inquiétant. Le phare de la Vieille se dresse, solitaire, au milieu des flots houleux et éclaire les écueils menaçants.

Der Kalvarienberg von Notre-Dame-de-Tronoën aus dem späten 15. Jhdt. ist eines der ältesten jener regionaltypischen sakralen Kunstwerke, die meist zur Abwendung der Pest oder zum Dank an Gott für die Errettung von dieser Geißel errichtet wurden. - Die Pointe du Raz wurde unter dem Ansturm von Wind und Wellen zu einer großartigen, wilden und aufregenden Landschaft geformt. Mitten in den wogenden Fluten trotzt „La Vieille", der Leuchtturm, den Wellen und weist den Weg durch die gefährlichen Klippen.

Calvary Altar in Notre-Dame-de-Tronoën , dating back to the 15 th century, is one of the oldest sacred works of art, so typical of this region. They were generally erected to ward off the plague or to give thanks to God for saving the inhabitants from this scourge. - The Pointe du Raz was formed by the wind and the waves into what is now a magnificent, wild and exciting landscape. Perched right above the tides, the old lighthouse "La Vieille", defies the waves and shows the way between the dangerous rocks.

L'église imposante du 15e siècle et les belles maisons de granit de style Renaissance de Locronan rappellent que le village pittoresque de Locronan fut autrefois une cité prospère grâce à l'industrie de la toile. - La station balnéaire de Douarnenez est un centre important de pêche et d'industrie des conserves. Mais elle est aussi la scène d'un grand drame d'amour: c'est ici que le roi Mark résidait quand son neveu Tristan revint d'Irlande avec Iseult.

Die imposante Kirche aus dem 15. Jhdt. und die schönen Renaissancehäuser aus Granit erinnern daran, daß das malerische Dorf Locronan einst dank seiner Tuchindustrie eine blühende Stadt war. - Das Seebad von Douarnenez ist nicht nur ein bedeutendes Zentrum des Fischfangs und der Konservenindustrie, sondern auch der Schauplatz eines großen Liebesdramas: hier residierte einst der König Mark, als sein Neffe Tristan mit Isolde aus Irland zurückkehrte.

The imposing church, dating back to the 15th century, and the beautiful granite renaissance houses remind us that the picturesque village of Locronan was once, due to the cloth industry, a flourishing town. The seaside resort Douarnenez is not only an important centre of the fishing and canning industry but also the scene of a dramatic love story: King Mark resided here, when his nephew, Tristan, returned from Ireland with Isolde.

Un dimanche par an, les communes bretonnes célèbrent un Pardon. Le matin, les fidèles viennent demander le pardon de leurs fautes ou des grâces à l'église. Dans chaque bourg, l'enclos paroissial avait pour centre le cimetière avec sa porte triomphale, autour duquel se groupaient l'église, le calvaire et l'ossuaire. Les calvaires sont ornés de scènes sculptées racontant l'histoire de la Vierge et du Christ. Un des plus célèbres, datant du 16e siècle, est celui de Guimiliau qui comprend plus de 200 personnages.

An einem Sonntag im Jahr zelebrieren die bretonischen Gemeinden eine Wallfahrt. Morgens beten die Gläubigen um Vergebung ihrer Sünden oder leisten Fürbitten. In jedem Dorf bildet der Kirchhof das Zentrum. Dort liegen der Friedhof, die Kirche, der Kalvarienberg und das Beinhaus. Die Kalvarienberge sind mit Szenen aus dem Leben Christi und der Jungfrau Maria verziert. Auf dem Kalvarienberg von Guimiliau aus dem 16. Jhdt. befinden sich über 200 Figuren.

Every Britannic parish celebrates a pilgrimage once each year. In the morning, the believers pray for forgiveness of their sins or seek intercession on behalf of others. The church square represents the centre of each village. There we find the cemeteries, the church, the Calvary Altar and the tombs. The Calvary Altars are decorated by scenes from the life of Jesus and the Virgin Mary. Over 200 figures are depicted on the Guimiliau Calvary Altar, dating back to the 16th century.

C'est dans la presqu'île de Crozon que l'on découvrira l'essence de la beauté austère du littoral breton. La mer violente vient se briser sur les récifs, au pied de falaises vertigineuses et de rochers déchiquetés entre la pointe de Dinan et la pointe des Espagnols. La pointe de Pen-Hir est la plus belle des quatre pointes de Crozon. Le soleil couchant enrobe le site magnifique et les trois rochers impressionnants appelés Tas de Pois de lueurs écarlates.

Auf der Halbinsel von Crozon erschließt sich das Wesen der nüchternen Schönheit dieser Küstenlandschaft. Das aufgewühlte Meer bricht sich schäumend an den Riffen, schwindelerregenden Klippen und zerklüfteten Felsen zwischen der Pointe de Dinan und der Pointe des Espagnols. Die Pointe de Pen-Hir ist eine der schönsten Landspitzen von Crozon. Die untergehende Sonne überzieht die herrliche Landschaft und die drei beeindruckenden Felsen (die „Tas de Pois") mit ihrem roten Schimmer.

The Crozon Peninsula epitomises the sober, simple beauty of this coastal landscape. The foaming seas break against the reefs, the steep cliffs and the rugged rocks between the Pointe de Dinan and the Pointe des Espagnols. The Pointe de Pen-Hir is one of the most beautiful points of land in Crozon. The sinking sun bathes the landscape and the three impressive rocks (the "Tas des Pois") in a red glow.

Brest, grand port de guerre créé par Richelieu devint capitale maritime du royaume sous Colbert, ministre de Louis XIV. C'est aujourd'hui un important port de commerce situé sur une rade de 15 000 hectares. Près de 10 000 personnes travaillent à l'arsenal maritime qui est le plus ancien de France. Au port militaire de Laninon, base de la marine allemande durant la dernière guerre, on peut voir de nombreux bâtiments militaires en réparation.

Brest wurde unter Richelieu als großer Kriegshafen angelegt und unter Colbert, einem Minister Ludwigs XIV., zur Seehauptstadt des Königreichs. Heute ist Brest mit einer Fläche von 15 000 ha ein wichtiger Frachthafen. Fast 10 000 Menschen arbeiten dort in der ältesten Werft Frankreichs. Im Militärhafen Laninon, einem deutschen Marinestützpunkt des letzten Krieges, sieht man zahlreiche Kriegsschiffe im Reparaturdock liegen.

Brest was built during the Richelieu era as a main military port and extended under Colbert, one of Louis XIV's ministers, to be the coastal capital of France. In modern times, Brest, which stretches over an area of 15,000 hectares, is an important freight harbour. Almost 10,000 people work in the oldest wharf in France. One can view numerous military ships, lying in dry dock, in the military harbour of Laninon, a German navy stronghold during the Second World War.

Le port de commerce de Brest peut accueillir les plus grands navires de commerce existants. Il se découvre depuis le cours Dajot, une belle promenade sur les remparts, construite en 1769 par les forçats du bagne maritime. Le château, élevé au cours des 12e au 13e siècles, est le dernier témoin de l'histoire du vieux Brest, détruit durant la seconde guerre mondiale. On ne peut en visiter que le musée et les remparts car il abrite la préfecture maritime.

Im Hafen von Brest können die größten Frachter der Welt anlegen. Auf einen Hafenspaziergang geht man über den Cours Dajot, eine schöne Promenade auf den Befestigungsmauern, die 1769 von Bagnosträflingen errichtet wurden. Die im 12. und 13. Jhdt. gebaute Burg ist der letzte historische Zeuge des im II. Weltkrieg zerstörten alten Brest. Dort ist die Seepräfektur untergebracht, so daß man nur das Museum und die Mauern besichtigen kann.

The largest freight ships in the world can moor in Brest harbour. A harbour stroll leads us along the Cours Dajot, a pretty promenade on top of the harbour walls, built in 1769 by Bagno prisoners. The castle, erected in the 12th and 13th centuries, is the last historical testimony to the Ancient Brest, which was destroyed during the Second World War. The Sea Prefecture is housed in this building, meaning that one may only view the museum and the walls.

En hiver, l'île d'Ouessant est livrée aux brumes, aux vents violents et aux flots rageurs. Autrefois, les naufrages y étaient nombreux. Mais en été, les estivants goûteront l'atmosphère sereine et le climat très doux de l'île dont le pittoresque bourg principal, Lampaul, est le départ d'excursions vers de belles plages de sable, des criques protégées, des rochers habités de colonies d'oiseaux et vers le phare de Créac'h qui indique l'entrée de la Manche.

Im Winter ist die Insel Ouessant ganz dem Nebel, den Stürmen und den rasenden Wogen preisgegeben. Früher gab es hier viele Schiffbrüche. Aber im Sommer genießen die Feriengäste die heitere Atmosphäre und das sanfte Klima der Insel. Von dem malerischen Hauptort Lampaul aus unternimmt man Ausflüge zu den schönen Sandstränden, den geschützten Buchten, den Felsen voller Vogelkolonien und dem Leuchtturm von Créac'h, der den Schiffen die Einfahrt in den Ärmelkanal signalisiert.

In the Winter, the Island of Ouessant is completely at the mercy of the fog, the storms and the raging seas. Over the centuries, many shipwrecks have happened here. In the Summer, however, holiday visitors enjoy the lively atmosphere and the gentle climate on the island. Starting from the picturesque main town Lampaul, one can undertake trips to the beautiful sandy beaches, the protected bays, the rocks, inhabited by veritable colonies of birds and to Créac'h lighthouse, which shows the ships the entrance to the English Channel.

Lannion, notre premier arrêt en Côte d'Armor, abrite de belles demeures et deux églises des 15e et 16e siècles. La petite ville portuaire sur la rivière Léguer, est le point de départ d'excursions vers l'Argoat, l'arrière-pays parsemé de manoirs intéressants. - La houle vient mourir sur les chaos rocheux aux formes bizarres de la Côte de Granit Rose. Un paysage saisissant enveloppé des lueurs cuivrées du granit qui façonne le rivage près du village de Ploumanac'h.

Lannion ist unsere erste Station an der Côte d'Armor. In der kleinen Hafenstadt am Fluß Léguer gibt es schöne Wohnhäuser und zwei Kirchen aus dem 15. und 16. Jahrhundert. Lannion ist auch der Ausgangspunkt für Ausflüge in das „Argoat", das Hinterland mit seinen vielen interessanten Herrenhäusern. - In dem bizarren Felsenchaos der rosa Granitküste zerstiebt die Gischt. Die bezaubernde Landschaft verdankt ihren Namen dem rötlichen Schimmer des Granitgesteins, aus dem die Küste bei Ploumanac'h besteht.

Lannion is our first stop along the Côte d'Amour. Beautiful houses and tow churches, dating back to the 15th and 16th centuries respectively are to be found in this small harbour town, on the banks of the river Léguer. Lannion is also the starting point for trips into the "Argoat", the hinterlands, dotted with interesting manor houses. The bizarre chaos of pink granite rocks along the coast are drenched with spray. This gorgeous landscape received its name from the red touch in the granite stone, which makes up the coastline around Ploumanac'h.

Le soleil se couche sur la Côte de Granit Rose, près de Perros-Guirec. Etagée à flanc de côte, la station balnéaire familiale domine l'anse qui abrite les ports de pêche et de plaisance et deux superbes plages de sable fin. Les touristes trouveront également un casino et un centre de thalassothérapie. L'église de la ville est construite en granit rose, comme beaucoup d'édifices de la région. Une superbe vue se révèle de la Pointe du Château.

Sonnenuntergang an der rosa Granitküste bei Perros-Guirec. Der auf einem Küstenhang terrassenförmig angelegte Familien-Badeort erhebt sich über die seichte Bucht mit dem Fischereihafen, dem Yachthafen und wunderbaren feinen Sandstränden. Außerdem findet der Tourist hier ein Kasino und ein Zentrum für Thalassotherapie. Die Kirche der Stadt ist, wie viele andere Sakralbauten auch, aus rosa Granit gebaut. Von der Pointe du Château aus hat man einen herrlichen Blick.

Sundown along the pink granite coastline near Perros-Guirec. This family bathing resort, constructed on terraces on the coastal slopes, towers above the shallow bay below, containing a fishing harbour, a yacht harbour and magnificent fine sandy beaches. In addition to this, the tourist finds here a casino and a Centre for Thalassic Therapy. The local Church is built out of pink granite stone, as are numerous other holy buildings in the region. The Pointe du Château commands a magnificent view.

Sur le littoral, près de Tréguier, l'érosion a sculpté les énormes rochers que les autochtones dotent de noms évocateurs tels que gnome, sorcière, tête de mort ou baleine. L'ancienne cité épiscopale de Tréguier possède une des plus belles cathédrales bretonnes datant des 14e et 15e siècles. La ville est aujourd'hui un port de pêche et de plaisance animé, point de départ vers de petits villages de pêcheurs nichés entre des chaos de rochers.

Bei Tréguier hat die Erosion die riesigen Felsen der Küste zu bizarren Skulpturen geformt, denen die Einheimischen Namen wie der Gnom, die Hexe, der Totenkopf oder der Walfisch gegeben haben. Der alte Bischofssitz Tréguier besitzt eine der schönsten bretonischen Kathedralen aus dem 14. und 15. Jahrhundert. Heute hat die Stadt einen Fischerei- und einen Yachthafen. Von hier aus unternimmt man Ausflüge zu den kleinen im Felsenchaos malerisch eingebetteten Fischerdörfern.

Erosion has formed the mighty rocks around Tréguier to strange sculptures, which the locals have christened the Gnome, the Witch, the Skull or the Whale. Tréguier, traditional residence of the Bishops, boasts one of the most beautiful cathedrals in Brittany, dating back to the 14th and 15th centuries. Now the town has a fishing and yacht harbour. Starting here, one can undertake trips to the tiny fishing villages, quaintly nestled in amongst the chaos of rocks.

Le flux et le reflux de la mer dictent la vie sur le littoral. A marée basse, les grèves découvertes font la joie des pêcheurs de crabes, crevettes ou moules, mais il s'agit de ne pas se laisser surprendre par la marée haute. Avant de partir, il est indispensable de consulter les heures des marées. - L'île de Bréhat jouit d'un climat si doux que mimosas, lauriers-roses ou figuiers y poussent entre des criques sauvages et des plages de galets roses.

Das Leben an der Küste folgt dem Rhythmus von Ebbe und Flut. Bei Ebbe kann man im Schlick auf die Suche nach Krebsen, Krabben und Muscheln gehen. Man sollte sich jedoch nicht von der Flut überraschen lassen. Deshalb ist es ratsam, sich vorher genau nach den Gezeiten zu erkundigen. - Die Ile de Bréhat erfreut sich eines so milden Klimas, daß hier zwischen den unberührten Felsenbuchten und rosa Kieselstränden Mimosen, Oleander und Feigenbäume gedeihen.

Life along the coast sticks top the rhythm of the tides. At low-tide, one can go searching for crabs and mussels in the slime along the coast. One should, however, take care, not to be surprised by the tide. It is therefore advisable to seek exact advice, before setting out. The Ile de Bréhat enjoys the mildest of climates, so that mimosa, oleander and fig trees grow, scattered between the untouched bays and the pink stony beaches.

Au cap Fréhel, la lande recouvre les falaises rouges et noires qui tombent à pic dans la mer émeraude. Du haut du phare, on découvre un panorama grandiose sur le Cotentin et les îles de Jersey, Chausey et Bréhat. - A l'embouchure de la Rance, Dinard est notre première étape en Ile-et-Vilaine. Les Anglais qui l'ont « découverte » ont laissé leur empreinte à cette station balnéaire élégante aux villas et hôtels luxueux et aux parcs splendides.

Heidekraut bedeckt die schwarzen und roten Felsen, die am Cap Fréhel steil in das smaragd-grüne Meer abfallen. Vom Leuchtturm aus hat man einen grandiosen Rundblick auf das Cotentin und die Inseln Jersey, Chausey und Bréhat. - Unsere erste Etappe in Ile-et-Vilaine ist die in der Rancemündung gelegene Stadt Dinard. Dieses elegante Seebad mit seinen luxuriösen Villen und Hotels und herrlichen Parks wurde von den Engländern „entdeckt", die hier überall ihre Spuren hinterlassen haben.

Heather covers the black and red rocks, which drop down the steep cliffs into the emerald-green waters around Cap Fréhel. The lighthouse commands a magnificent panoramic view over the Cotentin and the Channel Islands Jersey, Chausey and Bréhat. - Our first stop in Ile-et-Vilaine is the town Dinard, situated in the estuary of the river Rance. This elegant seaside resort, with its luxurious villas and hotels and magnificent parks was "discovered" by the English, whose traces are clearly visible everywhere.

A St-Malo, le souvenir des corsaires plane encore dans les rues étroites bordées de sévères maisons de granit de la Ville Close, sur les imposants remparts et sur les quais animés du port. Le musée du château retrace les événements marquants de la vie malouine et de ses enfants célèbres: les navigateurs Jacques Cartier et Robert Surcouf, l'écrivain Chateaubriand. Des tourelles de guet, se révèle un panorama superbe sur la ville, le port et la Côte d'Emeraude.

In St-Malo beschwören die engen Straßen der Ville Close mit ihren schmucklosen Granithäusern, die imposanten Befestigungsmauern und die belebten Hafenkais noch immer den Geist der Korsaren herauf. Im Schloßmuseum erinnert man an entscheidende Ereignisse aus dem Leben der Stadt und ihrer berühmten Söhne: der Seeleute Jacques Cartier und Robert Surcouf oder des Schriftstellers Chateaubriand. Von den Wachtürmen aus hat man einen wunderbaren Blick über die Stadt, den Hafen und die Côte d'Emeraude.

The small alleyways of the Ville Close with their stony-faced granite houses, the imposing walls of the fortifications and the lively harbour quays in St Malo still conjure up memories of the Corsair Spirit. The Castle Museum pays tribute to important events in the life of the town and its famous inhabitants: the seafarers Jacques Cartier and Robert Surcouf or the novelist Chateaubriand. The watchtower commands a wonderful view over the town, the harbour and the Côte d'Emeraude.

Paramé, Rothéneuf et Saint-Servant font aujourd'hui partie de St-Malo. Leurs belles plages de sable fin s'étendent à l'extérieur de la Ville Close. Paramé possède un établissement de cures marines. La station balnéaire verdoyante de St-Servant offre deux promenades intéressantes semées de très beaux points de vues: sur la Corniche d'Aleth qui ceinture le fort de la Cité et dans le parc boisé des Corbières qui surplombe l'estuaire de la Rance.

Paramé, Rothéneuf und Saint-Servant gehören heute zu St-Malo. Ihre schönen Strände aus feinem Sand erstrecken sich außerhalb der Ville Close. Paramé ist bekannt für seine Meerwasser-Kuren. In dem von viel Grün belebten Seebad St-Servant kann man zwei interessante Spaziergänge unternehmen, die an sehr schönen Aussichtspunkten vorbeiführen: Über die Corniche d'Aleth, die um die Festung herumführt, und durch den bewaldeten Parc des Corbières, der die Rancemündung überragt.

Paramé, Rothéneuf and Saint-Servant now belong to St-Malo. Their beautiful, fine sandy beaches stretch out beyond the Ville Close. Paramé is renowned as a sea water spa resort. From the green seaside resort St-Servant one can undertake two interesting hikes, leading past particularly beautiful vantage points: over the Corniche d'Aleth, which leads round the fortifications, or through the wooded Parc des Corbières, towering above the Rance estuary.

A six kilomètres de St-Malo, la Côte d'Emeraude présente un de ses paysages les plus célèbres: au siècle dernier, un abbé passa 25 ans de sa vie à sculpter près de 300 figures dans des rochers de granit. A Rothéneuf, on visitera également le Manoir de Jacques Cartier, le grand explorateur du 16e siècle avant de partir vers Cancale et la pointe du Grouin. Le panorama immense s'étend du cap Fréhel à Granville, en passant par le Mont-Saint-Michel.

Sechs Kilometer von St-Malo entfernt liegt eine der berühmtesten Landschaften der Côte d'Emeraude. Im vorigen Jahrhundert verbrachte ein Priester hier 25 Jahre seines Lebens damit, fast 300 Skulpturen aus den Granitfelsen zu schlagen. In Rothéneuf kann man außerdem den Wohnpalast von Jacques Cartier besichtigen, dem großen Forschungsreisenden des 16. Jhdts., bevor die Reise in Richtung Cancale zur Pointe du Grouin weitergeht. Von der Landspitze aus hat man einen ungeheuren Rundblick vom Cap Fréhel über den Mont-Saint-Michel bis nach Granville.

One of the most famous stretches of countryside along the Côte d'Emeraude is situated six kilometres from St. Malo. In the previous century, a priest spent 25 years of his life, hacking almost 300 sculptures out of the granite rocks. In Rothéneuf, one can also view the palace residence of Jacques Cartier, the great explorer of the 16th century, before pressing on towards Cancale to the Pointe du Grouin. This point of land commands an almost unbelievable panoramic view from Cap Fréhel over Mont-Saint-Michel right over to Granville.

Les 13 tours du château féodal de Fougères se dressent dans l'air tonique breton. On découvrira la vieille ville depuis la tour Mélusine, haute de 31 m. Au Moyen Age, l'ancienne place forte, construite au-dessus de la vallée du Nançon, était située à la frontière de la Bretagne et de la France. Son histoire mouvementée se poursuivit sous les Chouans. Victor Hugo et Balzac ont situé leurs romans sur la chouannerie à Fougères et ses environs.

Die 13 Türme des Schlosses von Fougères ragen stolz in den Himmel. Die Altstadt entdeckt man am besten von dem 31 Meter hohen Mélusine-Turm aus. Im Mittelalter wachte diese Festungsstadt am Nançon-Tal über die Grenze zwischen der Bretagne und Frankreich. Ihre bewegte Geschichte fand in der Zeit des royalistischen Aufstands gegen die französische Revolution eine Fortsetzung. Victor Hugo und Balzac haben Fougères zum Schauplatz ihrer Romane über dieses Ereignis gemacht.

The 13 towers of Castle Fougères stretch up into the skies. The old town is best discovered from the Melusine Tower, 31 m in height. During the Middle Ages, this fortified town watched over the border between Brittany and France. The town's restless history was continued during the era of Royalist Rebellion against the French Revolution. Victor Hugo and Balzac chose Fougères as the setting for their novels about this event.

Notre périple en Bretagne s'achève à Rennes, la capitale de la région, construite sur la Vilaine. Le physionomie classique de la cité se différencie des autres villes bretonnes car elle fut reconstruite par Jacques Gabriel après le grand incendie de 1720 qui n'épargna que le quartier autour de la cathédrale, la vieille ville actuelle. Au Palais des Musées, on visitera le musée de Bretagne pour avoir un dernier aperçu de ce pays aussi mystérieux qu'attachant.

Unsere Reise durch die Bretagne endet in der Regionalhauptstadt Rennes an der Vilaine. Das Stadtbild von Rennes ist für die Bretagne untypisch, denn fast die gesamte Stadt wurden nach dem großen Brand von 1720 von Jacques Gabriel neu gebaut. Nur das Viertel um die Kathedrale, die heutige Alstadt, blieb damals verschont. Im Palais des Musées kann man im Regionalmuseum der Bretagne einen letzten Eindruck von diesem faszinierenden und geheimnisvollen Land mitnehmen.

Our trip through Brittany comes to a conclusion in the regional capital city Rennes, situated on the Vilaine. The townscape of Rennes is not typical for Brittany, as, after the Great Fire of 1720, almost the entire town was rebuilt by Jacques Gabriel. Only the district around the Cathedral, now known as the Old Town, was spared. The Regional Museum of Brittany, situated in the Palais des Musees, provides us with a last impression of this fascinating and mysterious countryside.

LA NORMANDIE

Peut-on s'imaginer que cette contrée aux paysages si sereins fut jadis le repaire de Vikings pillards? Charles III le Simple leur avait abandonné l'embouchure de la Seine en 911 pour qu'ils cessent de ravager le reste du pays. Rollon, leur chef, s'assagit, se fit baptiser et devint le premier d'une série de grands ducs normands dont le plus célèbre est Guillaume le Conquérant, couronné roi d'Angleterre après sa victoire à la bataille de Hastings en 1066. Son règne marqua le début d'une civilisation brillante en Normandie ainsi qu'en témoignent aujourd'hui de grandes abbayes comme celles de Caen ou du Mont-Saint-Michel, des forteresses tels Château-Gaillard et Arques et de nombreuses églises romanes dont les clochers parent de charmants bourgs médiévaux. Dès le Moyen Age également, la Normandie fut une région prospère de culture et d'élevage, grâce à son climat humide et son sol fertile. Les campagnes de Basse et Haute Normandie sont des symphonies de toute la gamme des verts: grasses prairies et vergers de pommiers des pays d'Auge et d'Argentan, forêts luxuriantes du pays d'Ouche, bocages où musardent de petites rivières, riches pâturages du pays de Bray, rives boisées et marais de la basse vallée de la Seine. Que de randonnées agréables à faire dans ces campagnes paisibles qui ne s'étendent qu'à quelques kilomètres du littoral! Au détour des chemins, on découvre des châteaux cachés dans la verdure, de jolis hameaux aux maisons à colombages, des relais équestres ou des haras et des fermes-auberges offrant la savoureuse cuisine normande, à base de beurre et crème fraîche. En Normandie, les villes ont des noms de fromages; citons seulement Camembert, Pont-l'Evêque et Livarot, trois étapes gastronomiques où l'on dégustera d'autres spécialités du pays comme le calvados et le cidre.
Les côtes normandes déploient leurs paysages contrastés entre le Tréport, à la lisière de la Picardie et le Mont-Saint-Michel, porte de la Bretagne. La Côte d'Albâtre est bordée de hautes falaises blanches encadrant de petites stations balnéaires où les bateaux des pêcheurs ac-

DIE NORMANDIE

Kann man sich heute vorstellen, daß dieser heitere Landstrich einst ein Ausgangspunkt für die Plünderfahrten der Wikinger war? Karl III., genannt „der Einfältige", hatte ihnen 911 das Gebiet der Seinemündung überlassen, damit sie mit ihren Raubzügen gegen den Rest des Landes aufhören. Ihr Anführer Rollo ließ sich taufen und wurde zum ersten einer Reihe großer normannischer Herzöge. Der berühmteste unter ihnen war Wilhelm der Eroberer, der sich nach der siegreichen Schlacht bei Hastings 1066 zum König Englands krönen ließ. Seine Herrschaft markierte den Beginn einer glanzvollen Kultur in der Normandie, die uns zahlreiche steinerne Zeugen hinterlassen hat: die Abtei von Caen und das Kloster auf dem Mont-Saint-Michel, die Burgen Château-Gaillard und Arques sowie zahlreiche romanische Kirchen, die mit ihren Türmen den reizvollen Mittelpunkt mittelalterlicher Marktflecken bilden. Seit dem Mittelalter ist die Normandie dank ihres feuchten Klimas und der fruchtbaren Böden auch eine blühende Hochburg von Viehzucht und Ackerbau. Die Felder und Wiesen der Basse und der Haute Normandie sind eine einzige Symphonie verschiedener Grüntöne, mit den fetten Weiden und Apfelpflanzungen des Pays d'Auge und Pays d'Argentan, den üppigen Wäldern des Pays d'Ouche, der Bocage-Landschaft, durch die sich gemächlich kleine Flüsse schlängeln, dem fruchtbaren Weideland des Pays de Bray, den bewaldeten Ufern und Sümpfen des Unterlaufs der Seine... Was für wunderbare Spaziergänge man in dieser friedlichen Landschaft unternehmen kann, die doch nur wenige Kilometer von der Küste entfernt ist! Hinter einer Wegbiegung stößt man auf ein im Grünen verborgenes Schloß, einen hübschen kleinen Weiler mit seinen Fachwerkhäusern, einen Pferdeverleih, ein Gestüt oder eine nette „Ferme-Auberge" mit ihrem Angebot an Produkten der köstlichen Regionalküche, bei der Butter und Crème fraîche die tragende Rolle spielen. In der Normandie tragen die Städte Namen berühmter Käse, wie Camembert, Pont-l'Evêque oder Livarot, um nur drei gastronomische Etappenziele zu nennen. Natürlich wird

NORMANDY

It is hard to imagine that Vikings once used this pleasant stretch of land as a starting point for raids to steal more booty. Charles III, called "the simple", had given them the region around the Seine estuary in 911, to attempt to stop them carrying out further plunder raids throughout the rest of the country. Their leader, Rollo, was baptised and became the first of many great Norman Dukes, the most famous being, of course, William the Conqueror, who was crowned King of England after the victorious Battle of Hastings in 1066. His rule was the starting point of a glorious period of Norman culture, which has left us with many testimonies in stone to this era: the abbey in Caen and the monastery on Mont-Saint-Michel, the castles Château-Gaillard and Arques, as well as numerous Romanesque Churches, whose steeples constitute the focal point of many market squares, dating back to the Middle Ages. Due to the damp climate and fruitful soil, Normandy has been a veritable bastion of rearing cattle and farming since the Middle Ages. The fields and meadows of the Basse and Haute Normandie are awash with countless vivid green tones, with the lush meadows and apple groves of the Pays d'Auge and Pays d'Argentan, the rich woodlands of the Pays d'Ouche, the Bocage countryside, through which small streams leisurely thread their way, the fruitful meadows of the Pays de Bray, the wooded banks and swamps of the lower reaches of the Seine...One can go for such magnificent walks through this peaceful countryside, situated barely a few kilometres from the coast! Round a sudden bend, we come across a castle, hidden in the green countryside, a quaint little hamlet, made up of half-timbered houses, a stud farm or a nice "Ferme Auberge", offering a whole range of delicious products of regional cooking, whose two main ingredients are, of course, butter and crème-fraîche. In Normandy, the towns bear the names of famous cheeses, such as Camembert, Pont-l'Evêque or Livarot, to mention only three gastronomic ports of call. Of course we shall find time to sample further regional specialities, such as calvados or cidre.

costent à côté des estivants qui jouent dans les vagues ou se font bronzer sur les galets. Pour les amateurs de solitude, de nombreuses criques, accessibles par bateau ou par des escaliers taillés dans le calcaire, se cachent dans les échancrures des parois majestueuses. La Côte Fleurie présente un visage différent de longues plages de sable fin aménagées pour le confort des touristes, de ports de plaisance animés et de stations balnéaires élégantes. La plus mondaine est Deauville, mise en vogue sous Napoléon III et depuis rendez-vous du « jet set » international. Cabourg, ferme le tronçon chic de la côte normande. Cette jolie ville de villégiature, aux superbes villas à colombages entourées de jardins fleuris, est immortalisée sous le nom de « Balbec » dans l'œuvre de Marcel Proust. C'est sur les rivages bordant la mer depuis la Côte de Nacre au Cotentin qu'eut lieu le débarquement du 6 juin 1944. Les longues plages de sable et les localités accueillantes invitent aujourd'hui à des vacances familiales, mais les musées dans des casemates, les monuments commémoratifs et les nombreux cimetières militaires rappellent cette douloureuse page d'histoire contemporaine. Le littoral tourmenté de la presqu'île du Cotentin annonce celui de Bretagne. Les pointes déchiquetées, les chaos de rochers, les récifs et les écueils assaillis par la mer composent des paysages d'une beauté sauvage. Des ports de pêche pittoresques se nichent dans des anses abritées; Courseulles-sur-Mer et Saint-Vaast-la-Hougue sont célèbres pour leurs huîtres! Le côté occidental de la péninsule a un visage moins rude; jusqu'à la lisière de la Bretagne, il offre de belles étendues de sable entrecoupées de promontoires escarpés au pied desquels s'abritent des ports de plaisance. Notre rapide tour d'horizon de la Normandie s'achève ici. Il n'a bien sûr tracé que les grandes lignes de cette région aux visages multiples. Partons maintenant en découvrir les charmes et les beautés à travers ses paysages sereins, ses villes accueillantes et son histoire.

man dort auch andere Spezialitäten des Landes kosten, wie den Calvados oder den Cidre. Die Küstenlandschaft der Normandie bietet von Tréport über die Picardie bis zum Mont-Saint-Michel mancherlei Kontraste. Die Alabasterküste ist von hohen weißen Klippen gesäumt, zwischen denen sich kleine Badeorte verbergen. Dort liegen die vom Fang heimkehrenden Fischerboote neben den Feriengästen, die sich in den Wellen vergnügen oder am Kieselstrand von der Sonne bräunen lassen. Wer die Einsamkeit liebt, findet zahlreiche versteckte kleine Felsbuchten, die nur vom Meer aus oder über steile Treppen zugänglich sind. Einen Kontrast dazu bildet die Côte Fleurie mit ihren langen Sandstränden, den Yachthäfen und eleganten Seebädern. Das mondänste unter ihnen ist Deauville, das unter Napoleon III. in Mode kam und seither als Treffpunkt der internationalen Schickeria galt. Cabourg bildet den Schlußpunkt des „schicken" Küstenabschnitts der Normandie. Diese hübsche Sommerfrische mit ihren wunderbaren Fachwerkvillen und blühenden Gärten wurde von Marcel Proust in seinem Werk als „Balbec" verewigt. Die Strände zwischen der Côte de Nacre und dem Cotentin waren Schauplatz der Landung der Alliierten am 6. Juni 1944. Heute laden die langen Sandstrände zum Familienurlaub ein, Museen und Denkmäler erinnern heute noch an diese schmerzliche Episode der jüngeren Geschichte. Die rauhe Küste der Halbinsel Cotentin kündigt bereits die Landschaft der Bretagne an. Zerklüftete Landzungen, das Chaos der Felsen, Riffe und Klippen, gegen die die Wellen donnern, vereinigen sich zu einem Gesamtbild von wilder Schönheit. Kleine Fischerdörfchen liegen malerisch in geschützten Buchten. Courseulles-sur-Mer und Saint-Vaast-la-Hougue sind berühmt für ihre Austern! Die Westküste der Halbinsel ist weniger rauh: ausgedehnte Sandstrände wechseln sich mit schroffen Vorgebirgen ab, an deren Fuß man häufig einen kleinen Yachthafen findet. Lassen wir uns nun durch die Fotos einen Eindruck vom Reiz der Landschaften und der Schönheit der Städte in der Normandie vermitteln.

The coastal landscape of Normandy from Tréport, over Picardie, through to Mont-Saint-Michel offers many a contrast. The Côte d'Albâtre is lined by towering white cliffs, flanking tiny, hidden bathing spots. There, the fisher boats, returning with their fresh haul, moor next to the holiday guests, amusing themselves in the waves, or sunbathing on the pebble beaches. Friends of lonely nature can find numerous hidden rocky bays, which can only be reached by the sea or down steep stone stairways. The Côte Fleurie is in direct contrast to this region. Here we find long sandy beaches, harbours full of yachts and elegant seaside resorts. The most fashionable of these is Deauville, which became popular under Napoleon III and has since been counted among the meeting points for international socialites. Cabourg is the end of this "chic" stretch of coastline in Normandy. This picturesque summer resort with its wonderful half-timbered villas and blooming gardens was held for posterity by Marcel Proust in his Oeuvre as "Balbec". The beaches between the Côte de Nacre and the Cotentin were the site of the Allied landing on the 6th of June 1944. In modern times, these long sandy beaches play host to family holiday-makers. The more painful memories of recent history are, however, remembered in museums and monuments. The rough coastline of the Cotentin peninsula heralds the transition to Brittany. Waves thunder and pound against rugged ledges, chaotic groups of rocks, reefs and cliffs, uniting together to form a picture of unique and savage beauty. Tiny fishing villages are nestled into protected bays. Courseulles-sur-Mer and Saint-Vaast-la-Hougue are famous for their oysters! The West coast of the peninsula is less rugged: vast expanses of sandy beaches alternate with precipitous foothills, fanning out around small yacht harbours, nestled at their feet. Let us now allow the photographs to provide us with an impression of the appeal of this countryside and of the beauty, tucked away in its towns.

Situé à la frontière de la Normandie et de la Bretagne, le Mont-Saint-Michel fut construit à partir du 8e s. pour commémorer l'archange Saint-Michel. Des venelles bordées de maisons étroites, grimpent vers l'abbaye qu'une petite communauté de moines et nonnes bénédictins habitent de nouveau depuis 1969. Comme son nom l'indique, la Merveille est un édifice admirable dont il faut absolument visiter le réfectoire aux 59 fenêtres.

Der Mont-Saint-Michel liegt an der Grenze zwischen der Normandie und der Bretagne. Schon im 8. Jhdt. wurden auf diesem Felsen im Meer die ersten Sakralbauten zu Ehren des Erzengels Michael errichtet. Von schmalen Häusern gesäumte Gäßchen führen hoch zu dem Kloster, das seit 1969 wieder vom Benediktinerorden genutzt wird. „La Merveille", das Wunder, trägt seinen Namen mit vollem Recht: ein herrliches Bauwerk aus dem 13. Jhdt. mit einem Refektorium, das man unbedingt gesehen haben muß.

Mont-Saint-Michel marks the border between Brittany and Normandy. The first sacred monuments were built on this rock in honour of the Arch Angel Michael as early as the 8th century. Tiny alleyways, lined by narrow houses, lead up to the monastery, which has been used by the Benedictine Order since 1969. "La Merveille", the miracle, does its name full justice: a magnificent building, dating back to the 13th century, housing a refectory, which one simply must visit.

Port militaire important dès Louis XIV, Cherbourg est aussi un grand port de commerce et de voyageurs embarquant pour les côtes anglaises. Depuis le fort du Roule, on a une vue superbe sur la vaste rade, la digue immense et les grands paquebots. La ville est le point de départ vers les côtes de falaises et rochers tombant à pic dans la Manche de la presqu'île du Cotentin et vers l'arrière-pays aux paysages paisibles de bocages verdoyants.

Cherbourg, seit Ludwig XIV. ein wichtiger Militärhafen, spielt auch für den Seehandel und den Passagierverkehr eine große Rolle. Von der Festung Roule aus hat man einen schönen Blick auf die ausgedehnte Reede, den beeindruckenden Deich und die großen Passagierschiffe. Cherbourg ist der Ausgangspunkt für Ausflüge zu den senkrecht abfallenden Felsklippen des Ärmelkanals und in das grüne Hinterland der Bocagelandschaft.

Cherbourg, a military port since the era of Louis XIV, also plays an important role in maritime trading and passenger transport. The Roule stronghold commands a wonderful view over the extensive roadstead, the impressive dike and the huge passenger ferries. Cherbourg is the starting point for trips to the cliffs of the English Channel, which plunge vertically into the waters below and to the green hinterlands of the Bocage countryside.

Opération Overlord le 6 juin 1944: des millions de soldats alliés débarquent sur les côtes normandes, entre Saint-Vaast-la-Hougue et Caen. Le circuit du débarquement conduit le long du littoral où les combats ont laissé de nombreux souvenirs. Près de Vierville-sur-Mer, le site d'Omaha Beach s'étend sous un cimetière américain dominé par un monument commémoratif. A côté, une table montre le plan des opérations du débarquement.

Operation Overlord am 6. Juni 1944: Millionen alliierter Soldaten sind an dem Landeunternehmen zwischen Saint-Vaast-la-Hougue und Caen in der Normandie beteiligt. Heute führt ein Rundweg zu den verschiedenen Schauplätzen der Landung, wo die Kämpfe zahlreiche Spuren hinterlassen haben. Bei Vierville-sur-Mer, unterhalb eines amerikanischen Soldatenfriedhofs mit einem Denkmal für die Gefallenen, liegt „Omaha Beach". Die einzelnen Operationen des Landeunternehmens sind auf einer Schautafel dargestellt.

Operation Overlord on the 6th June 1944: millions of allied troops take part in the Normandy landings between Saint-Vaast-la-Houge and Caen. A path now leads to the various sites of the landings, where the battles have left numerous scars in the countryside. "Omaha Beach" is situated near Vierville-sur-Mer, below an American military cemetery and a monument to the casualties of this war. Each operation involved in the landings is depicted on a board.

BAYEUX, La Cathédrale

La vieille cité de Bayeux se niche au cœur du bocage normand, à quelques kilomètres seulement des plages du débarquement. Mais elle ne subit pratiquement pas de destructions et fut la première ville de France à être libérée, le 8 juin 1945. Sa cathédrale est un bel édifice roman et flamboyant. A voir absolument: la tapisserie de la reine Mathilde, une œuvre de broderie du 11e s., longue de 69 m, qui retrace l'histoire de la Normandie en 58 scènes.

BAYEUX, Kathedrale

Die alte Stadt Bayeux liegt nur wenige Kilometer von der Küste entfernt in die grüne Bocagelandschaft der Normandie eingebettet. Trotz ihrer Nähe zum Schauplatz der alliierten Landung wurde sie kaum zerstört, sondern im Gegenteil am 8. Juni 1944 als erste Stadt Frankreichs befreit. Ihre Kathedrale ist eine bemerkenswerte Mischung aus Romanik und Hochgotik. Unbedingt sehenswert ist der 69 Meter lange Wandteppich der Königin Mathilde aus dem 11. Jhdt., der in 58 Szenen die Geschichte der Normandie erzählt.

BAYEUX, Cathedral

The old town of Bayeux is situated only a few kilometres from the coast, nestled into the green Bocagel landscape of Normandy. Despite its proximity to the site of the Allied landings, it was hardly damaged at all. On the contrary, on the 8th June 1944, it became the first French town to be liberated. The Cathedral is an impressive mixture of Romanesque and High Gothic styles. One sight which should not be missed is Quenn Mathilde's 69 metre long tapestry, dating back to the 11th century and depicting the history of Normandy in 58 scenes.

59

Caen était la résidence favorite de Guillaume le Conquérant, duc de Normandie et roi d'Angleterre qui y fonda le château, l'abbaye aux Dames et l'abbaye aux Hommes dont on voit l'église Saint-Etienne sur l'image. - Lisieux est surtout connue pour le pèlerinage en l'honneur de Sainte Thérèse de l'Enfant Jésus qui a lieu en septembre. La ville est située au cœur du pays d'Auge, un terroir célèbre pour son cidre, son calvados et ses fromages.

Caen war die bevorzugte Residenz von Wilhelm dem Eroberer, Herzog der Normandie und König von England. Von ihm stammen noch die Burg, das Frauenkloster und das Männerkloster, dessen Kirche Saint-Etienne auf dem Foto zu sehen ist. - Lisieux ist vor allem als Schauplatz einer großen Pilgerfahrt zu Ehren der heiligen Theresa im September bekannt. Die Stadt liegt im Herzen des Pays d'Auge, das für seinen Cidre, seinen Calvados und seine köstlichen Käse berühmt ist.

Caen was the preferred residence of William the Conqueror, Duke of Normandy and King of England. The Castle, the monastery, whose Sainte-Etienne Church is depicted on those photograph and the nunnery are also credited to him. - Lisieux is particularly well-known as the destination of a great pilgrimage each September, in honour of Saint Theresa. The town is situated in the heart of the Pays d'Auge, famous for its cider, calvados and cheeses.

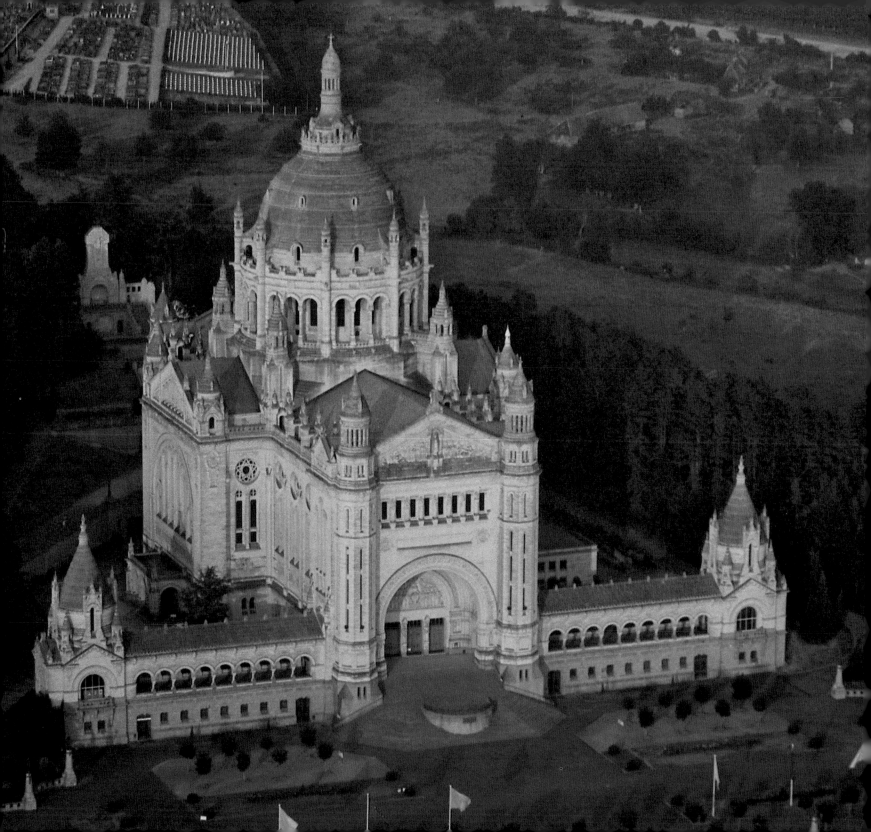

Trouville, moins mondaine que sa voisine Deauville, possède néanmoins un casino, un centre de thalassothérapie, une piscine d'eau de mer, une promenade des Planches et un Aquarium écologique très intéressant. La station balnéaire est entourée de collines verdoyantes. En s'éloignant du littoral, on découvrira des villages charmants dont les maisons à colombages, aux façades blanches et noires, montrent l'architecture typique normande.

Obwohl Trouville weniger mondän als Deauville ist, besitzt es trotzdem ein Casino, ein Zentrum für Thalassotherapie, ein Schwimmbad mit Meerwasser, eine Strandpromenade und ein sehr interessantes ökologisches Aquarium. Das Seebad ist von begrünten Hügeln umgeben. Wenn man die Küste verläßt, entdeckt man reizende Dörfer, deren Fachwerkhäuser mit ihren weißen und schwarzen Fassaden, die typische Architektur der Normandie zeigen.

Although Trouville is less chic than Deauville, it none the less has a casino, a Centre of Thalassic Therapy, a sea water swimming pool, a beach promenade and an extremly interesting ecological aquarium. The seaside resort is nestled between green hills. Leaving the coast, we discover charming villages, made up of timberframe houses with black and white façades, so typical of the architecture of Normandy.

Fondée sous Napoléon III, Deauville devint vite le rendez-vous du Tout-Paris. Elle est restée la station balnéaire la plus mondaine de Normandie avec un casino ressemblant au Trianon de Versailles, des palaces impressionnants tels que le Normandy et le Royal et la grande plage bordée par la célèbre promenade des Planches. Le grand prix hippique de Deauville et le festival du cinéma américain sont des manifestations internationales.

Das unter Napoleon III. gegründete Deauville wurde schnell zu einem Treffpunkt der Reichen und Schönen aus Paris und ist immer noch das mondänste Seebad der Normandie: mit seinem Spielcasino im Stil des Trianon von Versailles, den beeindruckenden Palasthotels wie dem Normandy und dem Royal und dem langen Strand, an dem die berühmte „Promenade des Planches" entlangführt. Der Große Preis von Deauville und das Festival des amerikanischen Films sind Ereignisse von internationalem Ruf.

Deauville, constructed during the reign of Napoleon III, quickly became a meeting place for the rich and beautiful Parisians and has remained the most chic seaside resort in Normandy, containing a casino, constructed in the style of the Trianon in Versailles, impressive palatial hotels, such as the Normandy and the Royal, a long beach, bordered by the famous "Promenade des Planches". Deauville Grand Prix and the American Film Festival are events of international renown.

Aujourd'hui, le port de Honfleur est davantage le domaine des bateaux de plaisance que des chalutiers. Cette petite station balnéaire familiale possède de jolies maisons anciennes aux toits d'ardoise et des édifices intéressants tels que le musée d'Ethnographie et d'Art populaire installé dans l'ancienne prison, l'église Saint-Etienne qui abrite le musée de la Marine, les greniers à sel du 17e siècle et la Lieutenance sur le port.

Heute legen im Hafen von Honfleur eher Yachten als Fischtrawler an. In diesem kleinen Familienseebad gibt es hübsche alte Häuser mit Schieferdächern und einige interessante Gebäude, wie zum Beispiel das in einem ehemaligen Gefängnis untergebrachte Museum für Ethnographie und Volkskunst, die Kirche Saint-Etienne mit ihrem Marinemuseum, die Salzspeicher aus dem 17. Jahrhundert und die Lieutenance am Hafen.

More yachts than fishing trawlers moor nowadays in the harbour of Honfleur. Pretty, antique houses with slate roofs make up this quaint family seaside resort, as well as several interesting buildings, such as the Museum of Ethnography and Folklore, located in a former prison, the Saint-Etienne Church, housing a Maritime Museum, the salt mines, dating back to the 17th century and the harbour lieutenancy.

ROUEN, Gros-Horloge

Traversée par la Seine, Rouen est un port maritime et pétrolier important, mais aussi une ville renommée pour ses faïences et surtout une très belle cité historique possédant des musées et édifices remarquables tels que la cathédrale Notre-Dame et le Palais de Justice de style gothique. Sur la place du Vieux-Marché, une croix signale l'emplacement où fut dressé le bûcher de Jeanne d'Arc. Le Gros-Horloge de style Renaissance enjambe la rue du même nom.

ROUEN, Gros-Horloge

Rouen an der Seine ist nicht nur ein wichtiger See- und Ölhafen, sondern auch für ihre Fayencen berühmt und vor allem eine sehr schöne historische Stadt mit vielen Museen und bemerkenswerten Gebäuden, der Kathedrale Notre-Dame und dem Justizpalast, zwei Meisterwerken der Gotik. Auf der Place du Vieux-Marché markiert ein Kreuz die Stelle, an der Jeanne d'Arc verbrannt wurde. Das Renaissance-Gebäude „Le Gros-Horloge" überbrückt die Fußgängerzone gleichen Namens.

ROUEN, Gros-Horloge

Rouen, located on the banks of the Seine, is not only an important sea and oil harbour, rather also renowned for its faïences and an extremely pretty historical town, with numerous museums and interesting buildings: Notre-Dame Cathedral and the Palace de la Justice, two masterpieces of Gothic architecture. A cross marks the spot on the Place du Vieux-Marché where Jeanne d'Arc was burnt. The Renaissance building "Le-Gros-Horloge" spans the pedestrian precinct of the same name.

Autrefois, les paquebots transatlantiques faisaient escale au Havre. Aujourd'hui, la ville est le deuxième port de commerce de France. On peut visiter le port qui accueille des pétroliers de 250 000 tonnes, possède onze bassins et la plus grande écluse du monde.

Früher legten die großen Passagierschiffe nach ihrer Atlantiküberquerung in Le Havre an. Heute ist die Stadt der zweitwichtigste Handelshafen Frankreichs. Die Anlagen für die Abfertigung von Tankern bis 250 000 BRT, die elf Hafenbecken und die größte Schleuse der Welt können besichtigt werden.

The great passenger liners once moored in Le Havre after crossing the Atlantic. In modern times, the town has become France's second most important trading port. One can view the installation for the loading of tankers, up to 250,000 BRT, the eleven harbour basins and the largest locks in the world.

ETRETAT, Les falaises

La station balnéaire d'Etretat a été immortalisée par des peintres réputés et par Guy de Maupassant. Ses falaises blanches sont l'un des plus beaux sites naturels des côtes de la Manche.

ETRETAT, Kreidefelsen

Das Seebad Etretat wurde von Guy de Maupassant und anderen Schriftstellern und Malern in ihren Werken verewigt. Seine Kreidefelsen zählen zu den schönsten Naturwundern an der Kanalküste.

ETRETAT, Limestone Cliffs

The seaside resort Etretat has been kept for posterity in the works of Guy de Maupassant and other authors and artists. The limestone cliffs are amongst the most breathtaking natural wonders along the Channel coast.

Les blanches falaises de craie du pays de Caux protègent les petits ports de pêche qui s'alignent sur cette partie du littoral. L'un des plus importants est Fécamp d'où de gros chalutiers modernes partent encore vers des terres lointaines. A côté de la magnifique église gothique, l'ancienne abbaye bénédictine abrite l'hôtel de ville. Le musée de la Bénédictine rappelle que la célèbre liqueur est née ici au 16e siècle et y est toujours fabriquée.

Die weißen Kreidefelsen des Pays de Caux schützen die vielen kleinen Fischerhäfen dieses Küstenabschnitts. Einer der größeren Häfen ist Fécamp, wo heute noch die großen Fischtrawler zu weiter Fahrt auf die hohe See auslaufen. Neben der herrlichen gotischen Kirche liegt das Rathaus in einer ehemaligen Benediktinerabtei. Im „Musée de la Bénédictine" lernt man einiges über die Geschichte und Zusammensetzung des berühmten Kräuterlikörs, der hier seit dem 16. Jahrhundert hergestellt wird.

The white limestone cliffs of the Pays de Caux protect the numerous tiny fishing villages along this coastal stretch. One of the larger ports is Fécamp, where even today the mighty trawlers set out for the high seas. The town hall, located in a former Benedictine monastery, is situated next to a magnificent gothic church. One can learn a lot about the history and composition of the famous herbal liqueurs in the "Musée de la Bénédictine", which has been produced here since the 16th century.

Le château féodal, résidence des anciens gouverneurs de la ville, se dresse sur une des falaises qui surplombent la ville portuaire de Dieppe. Au port fortifié sous François Ier, sur les quais Henri IV et Duquesne, les chalutiers de pêche côtoient les « car-ferries » qui partent pour l'Angleterre. A côté, s'étend la longue plage de galets et une belle esplanade où le touriste trouvera un casino, des aménagements sportifs et un centre de thalassothérapie.

Die Feudalresidenz der ehemaligen Gouverneure der Stadt erhebt sich auf einer der steil über der Hafenstadt Dieppe aufragenden Klippen. In dem bereits unter Franz I. befestigten Hafen liegen die Fischtrawler an den Kais Henri IV und Duquesne neben den „Car Ferries", die den Schiffsverkehr mit England besorgen. Neben dem Hafen erstreckt sich ein langer Kieselstrand. An einer schönen Esplanade findet der Feriengast ein Kasino, Sporteinrichtungen und ein Zentrum für Thalassotherapie.

The feudal residence of the former town governors is perched on one of the mighty cliffs which tower above the port town of Dieppe. The trawlers moor in the Quay Henri IV and Duquesne next to the car ferries, which shuttle back and forth to England, in this fortified harbour. A long stony beach stretches out next to the harbour. The holiday guest can find a casino, sport facilities and a Centre for Thalassic Therapy, situated on a beautiful Esplanade.

A la frontière entre la Normandie et la France, Richard Cœur de Lion, duc de Normandie et Roi d'Angleterre, fit bâtir Château-Gaillard en 1197 pour barrer la route à Philippe Auguste. Les ruines de l'imposant édifice se dressent au-dessus de la jolie ville des Andelys, sur un plateau qui domine un des plus beaux sites de la vallée de la Seine. Depuis la nuit des temps, le fleuve a été une voie de pénétration de la Normandie, entre le Havre et Paris.

An der damaligen Grenze zwischen der Normandie und Frankreich ließ Richard Löwenherz, Herzog der Normandie und König von England, 1197 die Burg Château-Gaillard erbauen, um Philipp August von Frankreich den Weg zu versperren. Die Ruinen des imposanten Bauwerks erheben sich oberhalb der hübschen Stadt Andelys auf einem Plateau, das einen der schönsten Plätze des Seinetals beherrscht. Seit grauer Vorzeit war die Seine stets ein Einfallsweg in die Normandie und eine wichtige Verbindung zwischen Le Havre und Paris.

In 1197, Richard the Lionheart, Duke of Normandy and King of England, constructed Château-Gaillard along the former border between Normandy and France, in order to block Philipp Auguste of France's path. The ruins of this imposing building tower above the quaint town of Andelys, on a plateau, commanding a magnificent view over one of the most beautiful spots along the Seine valley. Since ancient times, the Seine has been the gateway to Normandy and an important link between Le Havre and Paris.

Nous terminons notre circuit à travers la Normandie sur l'image d'un verger de pommiers qui donne le cidre et le calvados, les fameuses boissons de la région. Nous avons découvert les multiples facettes de cette partie de France: celles de son passé historique sous Guillaume qui conquit l'Angleterre en 1066; un passé qu'évoquent Château-Gaillard, les grandes abbayes, Bayeux, le Mont-Saint-Michel et les nombreuses églises de style roman normand. Nous avons parcouru le littoral avec ses paysages contrastés, depuis les côtes sauvages du Cotentin aux hautes falaises calcaires de la côte d'Albâtre surplombant des plages de sables et de galets ou des criques solitaires. Nous avons visité de grands ports animés et de petits villages de pêcheurs et avons fait escale dans des stations balnéaires familiales ou mondaines. A l'intérieur des terres, dans le pays d'Auge et le pays d'Argentan, nous nous sommes promenés dans le bocage normand, terroir de prairies grasses, de vergers, parsemés de pittoresques hameaux aux maisons à colombages. La Normandie, généreuse, accueillante, est une province où il fait bon passer ses vacances entre les plaisirs de la mer et les charmes de la campagne.

Wir beenden unsere Rundreise mit dem Blick auf einen Obstgarten. Aus diesen Äpfeln werden Cidre und Calvados gewonnen, die beiden „Nationalgetränke" der Normandie. Diese Gegend hat viele verschiedene Facetten zu bieten. An die Zeiten Wilhelms des Eroberers erinnern Château-Gaillard, die großen Abteien, Bayeux, der Mont-Saint-Michel und zahlreiche Kirchen im normannisch-romanischen Stil. Wir haben die abwechslungsreiche Küste gesehen, von den Klippen des Cotentin bis zu den Kalkfelsen der Côte d'Albâtre mit ihren einsamen Felsbuchten. Große Hafenstädte und kleine Fischerdörfer, nette Familienbadeorte und mondäne Seebäder lagen auf unserem Weg. Im Landesinneren, im Pays d'Auge und Pays d'Argentan, haben wir Spaziergänge durch die Bocagelandschaft mit ihren fetten Weiden, Obstgärten und hübschen Fachwerkhäusern unternommen. Die großzügige und gastfreundliche Normandie lädt zu Ferien ein, bei denen man die Freuden des Strandlebens mit dem Reiz des Urlaubs auf dem Land verbinden kann.

We now conclude our round-trip with a view over a fruit garden. These apples are used to produce cider and calvados, the two "national beverages" of Normandy. This region has numerous different facets. Château-Gaillard, the huge monasteries, Bayeux, Mont-St.-Michel and countless churches in Norman-Romanesque style remind us of the era of William the Conqueror. We have seen the varied coastline, from the cliffs of Cotentin, to the limestone rocks of the Côte d'Albâtre, dotted by lonely bays. Large harbour towns and small fishing villages, pleasant family bathing beaches and chic seaside resorts were strewn along our path. In the heartlands, in the Pays d'Auge and the Pays d'Argentan, we have been for hikes through the Bocagel countryside, dotted with lush pastures, fruit gardens and quaint timberframe houses. The generous and hospitable countryside of Normandy is an inviting holiday destination, where one can combine the pleasures of a beach holiday with the appeal of a sojourn in the countryside.

© Copyright: 1994 by
ZIETHEN-PANORAMA VERLAG
Flurweg 15
53902 Bad Münstereifel-Langscheid
Telefon: (0 22 53) 60 47

1. Auflage 1994

Gesamtherstellung:
ZIETHEN Farbdruckmedien GmbH
Unter Buschweg 17
D-50999 Köln

Printed in Germany

Redaktion und Gestaltung: Horst Ziethen
Konzeptionelle Beratung: Bert Teklenborg,
France Varry und Christina Marx
Textautorin: France Varry
Deutsche Übersetzung: Frank T. Deja
Englische Übersetzung: Guthrie Thomson

BILDNACHWEIS / table of illustrations / table des illustrations

Yann Arthus-Bertrand / Altitude: 7, 16, 22, 24, 26, 27, 37, 39, 40, 45, 48, 50, 61, 67
Fridmar Damm: Titel, 6, 13, 19, 21, 23, 32, 34, 36, 42, 56, 63, 64, 68
Bildarchiv Huber: 5, 9, 10, 11, 12, 14, 31, 35, 41 (Rücktitel), 43, 44, 46
Friedrich Gier: 8, 15, 17, 18, 20, 49, 51
Mauritius: 47, 58, 59, 65, 66, 71
Toni Schneiders: 28, 29, 30, 60   Helga Lade Fotoagentur: 57, 69, 70
Guy Bouchet / Fovéa: 72   André Picou / Fovéa: 38   Scope: 25
Images Ouest: 33   Andia: 52   J.C. Meauxsoone: 55   Franz Marc Frei: 62

KARTEN-NACHWEIS:
Vorsatzseiten: Aktuelle Panorama-Karte: Blay Foldex, Paris
Nachsatzseiten: Historische Karte aus Stieler's Hand-Atlas von 1824:
Archiv Ziethen-Panorama Verlag